みんなが欲しかった!

宅建士

合格へのはじめの一歩

滝澤ななみ

フルカラー

★法改正情報は「サイバーブックストア」で!!★

宅建士本試験は、例年４月１日現在施行されている法令等に基づいて出題されます。本書刊行後に施行が判明した法改正情報は、ＴＡＣ出版ウェブページ「サイバーブックストア」内「法改正情報」ページにてＰＤＦを公開いたします(2025年７月下旬予定)。

また、法改正情報・最新統計データ等を網羅して、ＴＡＣ宅建士講座が作成した『法律改正点レジュメ』を2025年7月より、ＴＡＣ出版ウェブページ「サイバーブックストア」内で無料公開いたします(パスワードの入力が必要です)。

【『法律改正点レジュメ』ご確認方法】

・ ＴＡＣ　出版 で検索し、ＴＡＣ出版ウェブページ「サイバーブックストア」へアクセス！
・「各種サービス」より「書籍連動ダウンロードサービス」を選択し、「宅地建物取引士　法律改正点レジュメ」に進み、パスワードを入力してください。

パスワード：251011433

公開期限：2025年度宅建士本試験終了まで

簡単アクセスはこちらから　→

はしがき

□　「宅建士のことはなんとなく知っていて興味はあるけど、よくわからない」

□　「宅建士試験を受けてみたいけど、どんな試験なのかわからない」

□　「宅建士に合格するには、どんな学習をすればいいのかわからない」

本書は、このように思っていらっしゃる方のために、宅建士の全体像と基礎知識をコンパクトにまとめ上げた入門書です。

冒頭の「オリエンテーション編」では、

□　宅建士資格の魅力

□　宅地建物取引士ってどんな人？　宅地建物取引業って、どんな業界？

□　宅建士試験って、どんな試験？

などなど、宅建士の世界の全体像と、学習内容、試験制度の概要、合格するまでのロードマップを、わかりやすく解説しています。ここで、宅建士の世界観をつかんでください。

続く「入門講義編」では、『みんなが欲しかった！　宅建士の教科書』から「基本の知識」だけを整理して編集し、コンパクトにまとめました。難解な内容、細かな知識は丁寧に省き、学習内容の骨格、つまり「基本知識」と「学習範囲の全体像」を効率よく学べるようになっています。

本書を利用して、宅建士に対する興味・関心を、「受験しよう！　合格するぞ！」という決意・モチベーションに高めていただき、本格的な学習をスタートさせる一助としてくだされば、幸いです。

2024年９月
滝澤ななみ

CONTENTS

オリエンテーション編

スタートアップ講座

入門講義編

CHAPTER 01 宅建業法

CHAPTER 02 権利関係

本書の効果的な学習法

1　オリエンテーション編で試験、資格について知りましょう！

まずはスタートアップ講座からはじめましょう！　宅地建物取引士の仕事内容、試験の実施日程や試験問題の形式、さらに合格までにどのような勉強をしていくのかが、イラストとともにわかりやすく掲載されています。

2　入門講義編で宅建士試験の学習内容の概要を学びましょう！

宅建士試験で学ぶ各分野の入門講義に進みます。主要なテーマで、かつ、知識理解のための土台となるものを、わかりやすくまとめています。法律や不動産の勉強がはじめての方でも無理なく読めるよう、やさしく身近な言葉を使った本文で、図解も満載。楽しく読み進めていくことができます。知識確認として、Q&Aを解き、実際の試験問題も体感してみましょう。

このSECTIONではどんなことを学ぶのか、まずは、そこからスタートです！

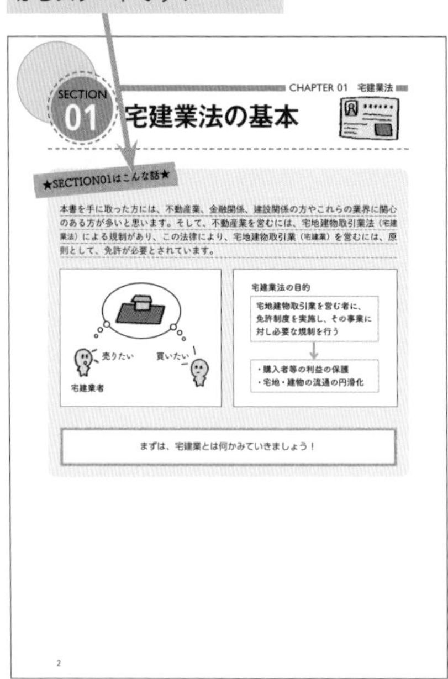
CHAPTER 01　宅建業法

SECTION 01 宅建業法の基本

★SECTION01はこんな話★

本書を手に取った方には、不動産業、金融関係、建設関係の方やこれらの業界に関心のある方が多いと思います。そして、不動産業を営むには、宅地建物取引業法（宅建業法）による規制があり、この法律により、宅地建物取引業（宅建業）を営むには、原則として、免許が必要とされています。

まずは、宅建業とは何かみていきましょう！

2

●チェック
重要ポイントが一目瞭然です！

① 宅建業とは

宅建業とは、「宅地・建物」の「取引」を「業」として行うことをいいます。

Ⅰ 「宅地・建物」とは

宅建業法において、「宅地・建物」とは、次のものをいいます。

チェック

「宅地・建物」とは

1 宅地

● 現在、建物が建っている土地

● これから建物を建てる目的で取引される土地

現況とは関係がない

● 用途地域内の土地（ただし、道路・公園・河川・広場等である土地は除く）

詳しくはCH03で説明
簡単にいうと「人がたくさん住む地域」
→そのうち宅地になる
だから、用途地域内の一定の公共用施設以外の土地はすべて宅地！

公園 ×　用途地域　河川 ×　道路 ×　広場 ×

2 建物

屋根と柱（壁）がある工作物

CH 01 宅建業法　SEC 01 宅建業法の基本

3

●Q&A
入門講義を読んだだけですぐ解ける問題を厳選しています！

Q　R1－問33①

宅地建物取引業者で保証協会に加入した者は、その加入の日から2週間以内に、弁済業務保証金分担金を保証協会に納付しなければならない。

A　保証協会に加入するには、加入しようとする日までに分担金を納付する必要がある。　×

オリエンテーション編

合格へのはじめの一歩

スタートアップ講座

1 宅地建物取引士になるまで

「宅地建物取引士」は国家資格です。
まずは本試験合格を目指すことになりますが、試験に合格しただけでは「宅地建物取引士」として仕事をすることはできません。ここでは、「宅地建物取引士」となるまでのフローを簡単にご紹介します。

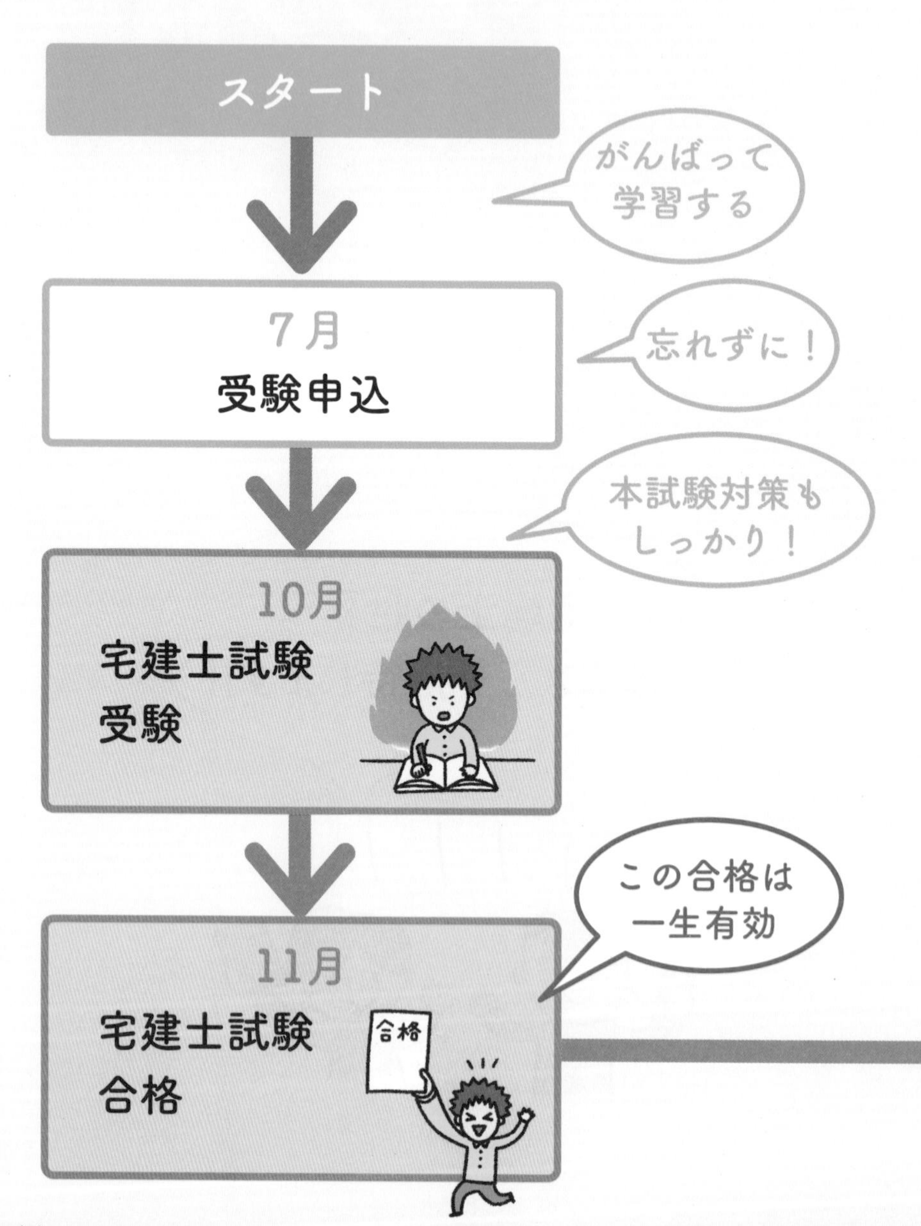

※試験日程の詳細や最新の情報については、
「一般財団法人　不動産適正取引推進機構」のホームページ
（https://www.retio.or.jp/exam/）でご確認ください。

宅地建物取引士になりました！

宅建士証をもらう

有効期間は5年

宅建士証の交付を申請する

資格登録簿に登録する

登録要件
・欠格事由なし
・2年以上の実務経験
or
登録実務講習を受ける

2 宅地建物取引士とはどんな資格？

「宅地建物取引士」ってどんな資格なんだろう、資格をとるとどんなメリットがあるの？ こんな数々のギモン点にお答えします。

宅建士は「不動産取引のプロフェッショナル」

宅建士（宅地建物取引士）は、宅地建物取引業法という法律に基づいて実施される国家資格です。
かつては「宅地建物取引主任者」と呼ばれていましたが、2015（平成27）年より「宅地建物取引士」に名称が変更されました。

不動産の取引には様々な法律が関わっているため、取引の際には専門的な知識が必要とされます。
その中でも宅建士は、不動産の円滑な取引を行うための重要な役割を担う、必要不可欠な存在だといえます。

宅建業者（いわゆる不動産屋さん）の事務所には、従業員５人につき１人以上は宅建士を置かなければならないことが法令で定められています。
不動産取引の重要な役割を担うのですから、どの事務所にも一定数の宅建士がいなければならない、というわけです。

宅建業者が行う主な業務

① 不動産の売買・交換を自分で行うこと

不動産会社自らが所有する土地を分譲販売する行為やマンションを直接お客さんに販売する行為などがあてはまります。

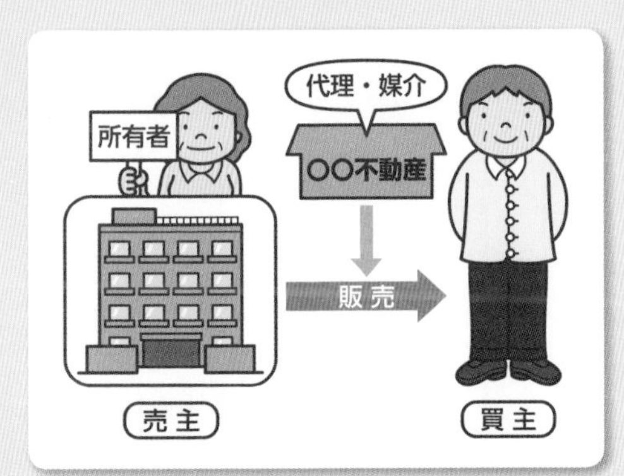

② 不動産の売買・交換を代理・媒介すること

不動産会社が、マンションの所有者からそのマンションの売却を依頼されたケースがあてはまります。売主は、不動産会社を通じてお客さんを探してもらい、契約を交わします。媒介は一般的には「仲介」とも呼ばれます。

③　不動産の賃貸借を代理・媒介すること

不動産会社が、アパートやマンションを所有する「大家さん」から、空き部屋の借り手を探すよう依頼されたケースがあてはまります。不動産会社は、お客さんの希望に合った物件を紹介し、貸し手側の「大家さん」と借り手側の「お客さん」を「仲介」します。

宅建士に認められた３つの独占業務

さらに、宅建士でないとできない３つの独占業務があります。不動産取引における宅建士の重要性をご理解いただけるでしょう。
以下、１つずつ見ていきましょう。

①　重要事項の説明

不動産の取引では、高額な金銭やさまざまな権利を扱います。そこで、取引に関するトラブルを防ぐために、宅建士は、契約を結ぶ前に、必ずその物件に関する「重要な情報（重要事項）」をお客さん（買主・借主）に説明しなければなりません。

② 35条書面（重要事項説明書）への記名

重要事項の説明にあわせて、「重要な情報」の内容が記載された「重要事項説明書」に記名をし、交付します。

③ 37条書面（契約書等）への記名

重要事項の説明が終わり、お客さんがその内容に納得すれば、いよいよ契約です。宅建士は、契約書の内容に誤りがないかどうかを確認して、記名します。

宅建士の活躍のフィールド

宅建士試験の学習では、民法や、不動産の利用や取引にまつわる幅広い知識を身に付けることができます。
そのため、不動産業界にとどまらず、以下のように様々な分野でその知識を活かすことができるのです。

① 金融機関

金融機関は、不動産を担保としてお金を貸すため、担保物権の価格の査定や抵当権設定など、不動産の知識は欠かせません。また、近年は金融商品としての不動産の重要性が増していることもあり、金融機関と不動産の関係はますます密接なものとなっています。

② 一般企業

企業自らが保有する不動産を活用したり、事業用地としてさまざまな不動産を借りたりするために、法律や不動産の知識を持った人材が求められています。企業によっては、宅建士資格の取得を奨励したり、有資格者に資格手当を設定したりするケースも少なくありません。

③ 社会的・一般的に有用な資格

宅建士試験で学習する内容には、社会生活をする上で知っておくととても有益な法律知識が含まれています。

3 宅地建物取引士の試験ってどんな試験？

宅地建物取引士試験とはどんな試験なのか、試験データや試験制度の概要を見ていきましょう。

以下は、2024年７月現在の情報に基づいています。試験の詳細や最新の情報については、「一般財団法人　不動産適正取引推進機構」のホームページ（https://www.retio.or.jp/exam/）でご確認ください。

試験データ①　宅建士試験の概要

宅建士試験の試験日や出題形式、試験時間など、試験の概要をまとめると次のとおりです。

試験日	例年10月第３日曜日　午後１時～３時
出題形式	四肢択一式50問　マークシート形式 ※登録講習修了者は「住宅金融支援機構法」「景品表示法」「統計」「土地」「建物」の計５問が免除される
試験時間	２時間（登録講習修了者は１時間50分）
受験資格	特になし
試験地	47都道府県（原則として居住する都道府県に申込み）
受験申込方法	インターネットまたは郵送により行う
受験申込期間	郵送：７月上旬～７月中旬頃 インターネット：７月上旬～７月下旬頃
受験手数料	8,200円（2024年）
合格発表	原則として、11月下旬

※令和２年（2020年）度、令和３年（2021年）度は、新型コロナウイルス感染症の影響により、一部地域では、受験者を10月と12月に分けて試験が行われました。

試験データ② 受験者数、合格者数等

宅建士試験の過去5年の受験者数、合格者数等は以下のとおりです。毎年20万人以上の方が受験する、とても規模が大きい試験であることが読み取れます。

	申込者数(人)	対前年度比	受験者数(A)(人)	合格者数(B)(人)	合格率(B)/(A)
令和元年度	276,019	104.0%	220,797	37,481	17.0%
令和2年度	259,284	93.9%	204,250	34,338	16.8%
令和3年度	296,518	114.4%	234,714	41,471	17.7%
令和4年度	283,856	95.7%	226,048	38,525	17.0%
令和5年度	289,096	101.8%	233,276	40,025	17.2%

※「令和2年度」「令和3年度」は、10月試験と12月試験の数値を合算したものです。

試験データ③ 試験科目・出題数

宅建士試験の出題科目と出題数は下記のとおりです。

科　目	出題数
権利関係	14
法令上の制限	8
宅建業法	20
税・その他関連知識	8
合計	50

※出題形式は、四肢択一マークシート式です。

試験データ④ 合格基準点

合格に必要な得点（合格基準点）に決まりはなく、年度により変動しますが、近年は31点から38点の間で推移しています。

	平成26年	27年	28年	29年	30年	令和元年	2年(10月)	2年(12月)	3年(10月)	3年(12月)	4年	5年
合格基準点	32点	31点	35点	35点	37点	35点	38点	36点	34点	34点	36点	36点

4 各科目の学習の指針

ここでは、各科目の概要と、どのような学習をしていけばよいのかをご紹介します。

宅建業法　（本書CH01）

宅建業法　正式名称は「宅地建物取引業法」

出題数　20問/50問中

☆ 宅建士試験のメイン科目
☆ 合格後の仕事に直結する内容
☆ 学習効果がすぐに出やすい科目

だから最初にしっかり学習して!

まずは宅建業法です。
宅建業法からは20問出題されます。
全出題数の4割を占める、宅建士試験のメイン科目ですね。
その名のとおり、合格後の仕事に直結する内容です。
また、学習すればしただけ得点に結びつく科目なので、ここはしっかり学習するようにしましょう。

宅建業法

☆ 内容はそんなに難しくない
アパートやマンションを借りている人は、不動産屋さんからこういう説明があったな〜とか思い浮かべながら学習するといいかも

☆ 教科書→問題集を繰り返し、確実にこの科目で得点できるように!
目標は9割です!

内容は他の科目に比べて難しくないので、最初に学習してしまうのがいいでしょう。
教科書を読んで、問題集を解くというのを繰り返し、一度学習が終わったら、再度問題集をパパっと解いて知識を確実にしましょう。
目標は９割程度の得点です。

権利関係

出題数　14問/50問中

出題内容

- 民法 ← コレが難しい
- 借地借家法
- 区分所有法
- 不動産登記法 ← コレも難しいことが多い

権利関係からの出題は14問で、このような内容から出題されます。

権利関係

☆ はっきりいって難しい
☆ 学習の効果が得点に結びつきづらい科目

深入り厳禁！

権利関係は、はっきりいって難しいですよ。学習範囲も広いですし。学習したからといって、得点に結びつきづらい科目です。

権利関係

☆ 基本的な内容だけおさえて！
法律の専門用語が多く出てきますが、これはしっかりおさえておきましょう
☆ 問題集も基本的な問題がしっかり解けるようにしておき、難しい問題は後回しに！

だから、あまり深入りせずに、基本的な内容をしっかりおさえるようにしましょう。
この科目で高得点を狙おうとムキにならず、宅建業法や法令上の制限に学習時間を割きましょう。

法令上の制限

出題数 8問/50問中

出題内容

- 都市計画法
- 国土利用計画法
- 盛土規制法
- 土地区画整理法
- 建築基準法
- 農地法

など

法令上の制限からの出題は8問で、このような内容から出題されます。

法令上の制限

☆ 暗記ものが多い

「何㎡以上」とか、「何m以下」とか
「何階以上でどういう場合は…」とか

☆ 出題論点ははっきりしている

→対策が取りやすい

法律の種類が多く、また細かい内容を覚える必要がありますが、出題されやすいところがわりとはっきりしています。

法令上の制限

☆ 自分が住んでいるところなどと結びつけながら学習するとよい

散歩しながら
「このへんは閑静な住宅街だから
第一種低層住居専用地域かな？」とか、
「あのビルは高さが20m超えていそうだから、
どこかに避雷針があるはずだね！」とか
考えてみるといいですね

都市計画法や建築基準法を学習するときは、自分が住んでいるところや勤務先などがどんな地域にあるのか、どういう構造の建物になっているのかを調べたり、考えながら学習すると、納得しながら知識をつけていくことができますよ。

税・その他の関連知識　（本書CH04）

税・その他関連知識

出題数　8問/50問中

出題内容

◆ 不動産に関する税金
◆ 不動産鑑定評価基準
◆ 地価公示法
★ 住宅金融支援機構法　★ 景品表示法
★ 土地　★ 建物　★ 統計

税・その他関連知識からの出題は8問で、このような内容から出題されます。

このうち、登録講習修了者は★の科目（5点分）が免除となります。

ちなみに★の科目は、出題されるものがある程度決まっているので、得点しやすいです。

税・その他関連知識

税金…よく出題されるものを中心に学習しよう

土地・建物…常識で解けるものも多い！

「谷底平野」とか、名前からして地盤が弱そう（危険性が高そう）ですよね！

「税金」は難しいことも多く、種類が多いので、混乱することがあるかもしれません。
問題集を解いて、過去に出題されたところは確実におさえておきましょう。

土地・建物は常識的に考えれば判断できるものが多いので、見たことない問題でも、いったん頭の中でイメージして考えてみましょうね。

税・その他関連知識

統計…細かい数字は覚えなくてOK

☆ 増加か減少か、上昇か下落かをおさえておけばよい
☆ 忘れてしまうので、試験直前にやっておけばよい

必ず最新の資料で学習すること！

統計は、細かい数字も出てきますが、そんなの覚えなくても「増えたか、減ったか」だけおさえておえば解けます。

なお、統計データは直前期に最新の資料を手に入れてくださいね（過去の資料は役に立ちませんからね！）

5「みんなが欲しかった！」シリーズの使い方

ここでは、「みんなが欲しかった！」シリーズの書籍ラインナップと、本書「合格へのはじめの一歩」での基礎学習を終えた後、効果的に学習を進めるコツをお伝えします。

※　表紙のデザインは変更になることがあります。

「宅建士の教科書」

- まずは1回、読み通しましょう。内容がわからない箇所があっても、全体像をつかむことを意識して、どんどん読み進めてください
- 最低でも2回は読み通しましょう。2回目からは、理解しにくいところを中心に深く読み込んでください
- 「Q&A」が出てきたら、必ず解いてみましょう。ピンとこなければ、教科書の該当部分に戻って確かめてください

「宅建士の論点別過去問題集」

- 「教科書」の並び順にあわせた編集になっているので、教科書を1テーマ読んだら、「問題集」の該当テーマを解く、というように、並行して学習しましょう
- 最初は解かずに解説を読むという方法もあります
- 「問題集」と「教科書」を行ったり来たりすることで、理解と記憶と解く力を高めていきましょう

「宅建士の一問一答式過去問題集」

- 一問一答形式の問題で、「教科書」で学んだ知識が身についているか、スピーディに確認できます
- 間違えてしまった問題や、知識があやふやな点は、「教科書」に戻って復習しましょう
- 本書で知識を確認しておくと、この後の過去問演習が楽になりますよ

「宅建士の12年過去問題集」

- 過去の本試験問題が1年ずつ、本試験同様にまとめられているので、実戦練習にお使いください
- 「やさしい年度順」（合格基準点が高い順）に掲載されているので、その順で実力を試すのに最適です
- 問題を解く順番もいろいろと試して工夫しましょう（必ずしも問1から解く必要はありません）

「宅建士の直前予想模試」

- 本試験と同じように、時間を計って（2時間）、集中して解きましょう
- 間違えた問題はもちろん、正解した問題であっても、解説を読み込むことで、知識を確実なものにしましょう

入門講義編

CHAPTER 01

宅建業法

宅建業法の基本

★SECTION01はこんな話★

本書を手に取った方には、不動産業、金融関係、建設関係の方やこれらの業界に関心のある方が多いと思います。そして、不動産業を営むには、宅地建物取引業法（宅建業法）による規制があり、この法律により、宅地建物取引業（宅建業）を営むには、原則として、免許が必要とされています。

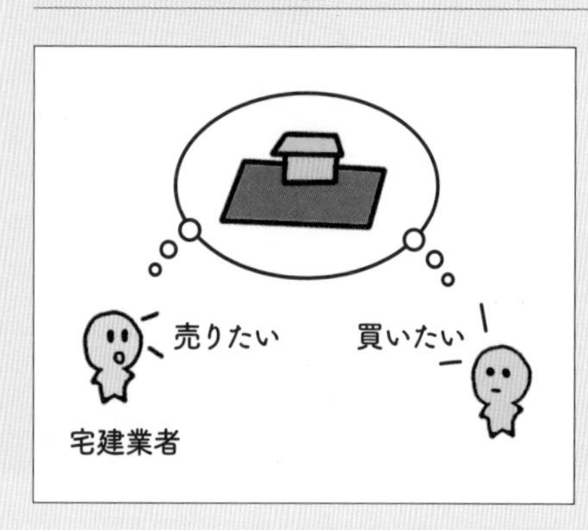

宅建業法の目的

宅地建物取引業を営む者に、免許制度を実施し、その事業に対し必要な規制を行う

↓

- 購入者等の利益の保護
- 宅地・建物の流通の円滑化

まずは、宅建業とは何かみていきましょう！

① 宅建業とは

宅建業（たっけんぎょう）とは、「宅地・建物」の「取引」を「業」として行うことをいいます。

I 「宅地・建物」とは

宅建業法において、「**宅地・建物**」とは、次のものをいいます。

チェック

「宅地・建物」とは

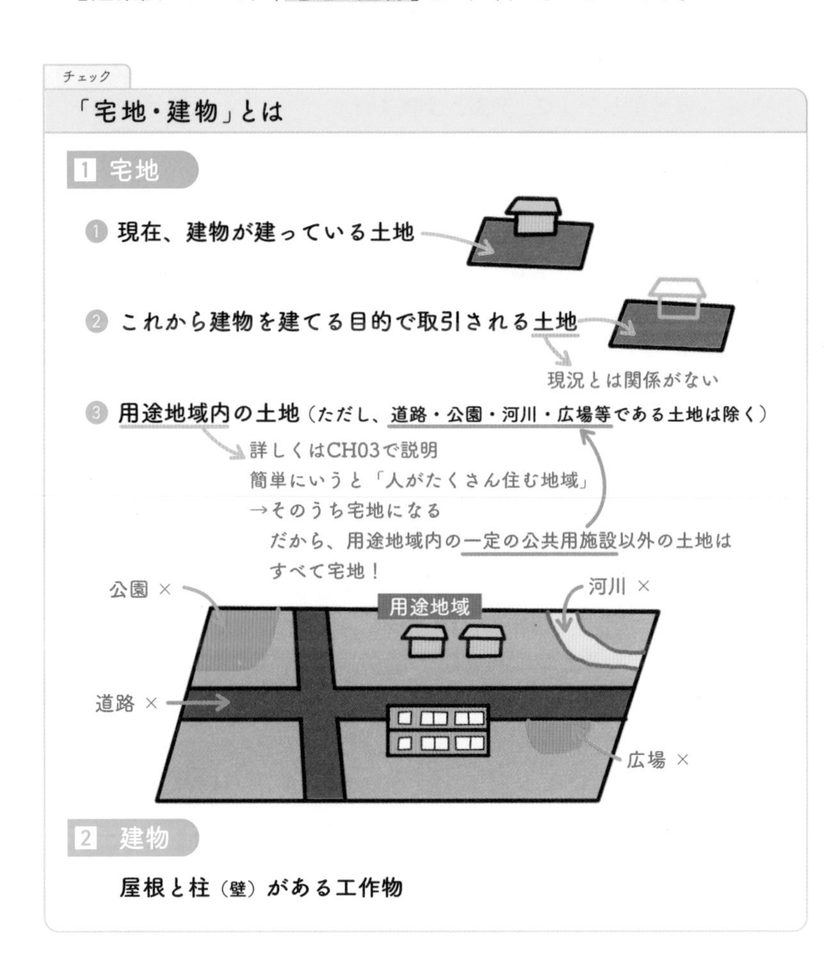

2 建物

屋根と柱（壁）がある工作物

Ⅱ 「取引」とは

宅建業の対象となる「取引」とは、次に該当するものをいいます。

チェック

「取引」とは

宅建業の対象となる取引

1. 自ら当事者となって、売買、交換を行う
2. 他人を代理して、売買、交換、貸借を行う
3. 他人間を媒介して、売買、交換、貸借を行う

表にまとめると・・

	売買	交換	貸借
①自ら	○	○	×
②代理	○	○	○
③媒介	○	○	○

自分でアパートを建てて、自分で賃貸する場合は取引に該当しない
→免許がなくてもできる！

Ⅲ 「業」とは

「業」とは、不特定多数の人に対して、反復継続的に取引を行うことをいいます。

チェック

「業」とは

業・・{①不特定多数の人を相手方として ②反復継続して}取引を行うこと

② 免許が不要な団体

前述の宅建業に該当する行為をするためには、原則として免許を受けなければなりませんが、例外として、下記の団体は免許なしで宅建業を営むことができます。

チェック

免許が不要な団体

1. 国、地方公共団体等
2. 信託会社、信託銀行

③ 無免許営業の禁止、名義貸しの禁止

I 無免許営業の禁止

免許を受けずに宅建業を営むことはできません。また、実際に宅建業を営んでいなくても、「宅建業を営む旨」の表示や、宅建業を営む目的で広告をすることも禁止されています。

II 名義貸しの禁止

宅地建物取引業者（宅建業者）が、自分の名義を他人に貸して宅建業を営ませることや、「宅建業を営む旨」を表示させること、宅建業を営む目的で広告をさせることも禁止されています。

免　許

★SECTION02はこんな話★

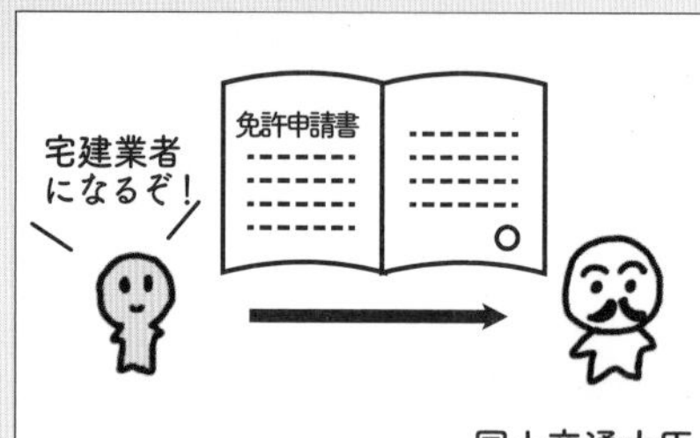

宅地建物取引業（宅建業）を営むには、原則として、免許が必要となります。ここでは免許についてみていきます。
また、免許に関連する事務所や宅地建物取引業者名簿（宅建業者名簿）についてもみておきましょう。

免許についてみていきましょう！

① 免許の種類

宅建業の免許は、**都道府県知事**または**国土交通大臣**から受けます。どちらの免許を受けるかは、事務所の場所で決まります。

ポイント

- 同じ県でいくつ事務所を設けても、１つの都道府県内のみに事務所があるならば、知事免許
- 知事免許、大臣免許のいずれの免許の場合でも、全国で宅建業を営むことができる
- 免許の有効期間は、知事免許、大臣免許のいずれの場合も５年

② 事務所

宅建業法における事務所とは、次のいずれかにあてはまるものをいいます。

チェック

事務所

事務所
1. 本店（主たる事務所）
2. 宅建業を行っている支店（従たる事務所）
3. 継続的に業務を行うことができる施設を有する場所で、契約を締結する権限を有する使用人が置かれている場所

つまり → テント張りの施設などは事務所ではない！

→ 支店長とか支配人とか…

③ 免許の申請

I 免許の申請手続

宅建業の免許を受けるためには、次の事項を記載した免許申請書等を国土交通大臣または都道府県知事に提出しなければなりません。

免許申請書の記載事項

❶ **商号**または**名称**

❷ 法人の場合…**役員**(非常勤役員を含む)、**政令で定める使用人の氏名**※

→ 取締役とか監査役　→ 支店長とか営業所長

❸ 個人の場合…その者、政令で定める使用人の氏名※

❹ **事務所の名称**、**所在地**

❺ **事務所**ごとに置かれる**専任の宅建士**（宅地建物取引士）の**氏名**※

❻ 宅建業以外の事業を行っているときは、その事業の種類

※希望者は旧姓を併記できる

Ⅱ 変更の届出

前記の免許申請書の記載事項のうち、❶〜❺に変更があった場合は、30日以内に当該変更に係る事項を記載した届出書を免許権者（免許を受けた国土交通大臣または都道府県知事）に提出しなければなりません。

Q　H30－問36④改

いずれも宅地建物取引士ではないDとEが宅地建物取引業者F社の取締役に就任した。Dが常勤、Eが非常勤である場合、F社はDについてのみ役員の変更に係る事項を記載した届出書を免許権者に提出する必要がある。

A　役員（非常勤役員を含む）の氏名に変更があった場合には、30日以内に免許権者に届出書の提出が必要であるため、Eについても変更の届出が必要である。　×

4 免許換え

たとえば、甲県のみに事務所を設置し、甲県知事の免許を受けていた宅建業者が乙県にも事務所を設置することになった場合には、国土交通大臣の免許を受けなおす必要があります。

このように、免許を受けなおすことを**免許換え**（めんきょがえ）といいます。

5 宅建業者名簿

国土交通省や都道府県には、宅建業者名簿が備え付けられます。

宅建業者名簿には次の事項が記載されます。

宅建業者名簿の登載事項

❶ 免許証番号、免許の年月日
❷ **商号**または**名称**
❸ 法人の場合…**役員**(非常勤役員を含む)、**政令で定める使用人の氏名**※
❹ 個人の場合…その者、政令で定める使用人の氏名※
❺ **事務所の名称**、**所在地**
❻ 宅建業以外の事業を行っているときは、その事業の種類
❼ 指示処分や業務停止処分があったときは、その年月日、その内容

※希望者は旧姓を併記できる

ひとこと

「事務所ごとに置かれる専任の宅建士の氏名」は、免許申請書に記載する必要はありますが、宅建業者名簿には登載されません。

6 廃業等の届出

宅建業者が死亡したり、廃業した場合には、その旨を免許権者に届け出なければなりません。

7 欠格事由

免許の申請をしても、欠格事由に該当する人は宅建業者としてふさわしくないとして、免許を受けることができません。

宅地建物取引士

★SECTION03はこんな話★

宅地建物取引士証
氏名　宅建 建太
（昭和56年12月25日生）
住所　東京都千代田区×××
登録番号（東京）第××××××号
登録年月日 令和４年４月５日
令和10年4月12日まで有効
東京都知事　××○○　東京都知事印
交付年月日　令和５年４月13日
発行番号　第×××××××号

宅建士（宅地建物取引士）とは、宅建士証（宅地建物取引士証）の交付を受けた者のことをいいます。宅地建物取引士試験に合格したら、直ちに宅建士になるわけではありません。
また、宅建士には、宅建士でなければできない業務（独占業務）があります。

宅建士になるには、試験合格後、一定の手続（講習を含む）が必要！
独占業務がある！

① 宅建士になるまでの流れ

宅建士になるまでの流れは次のとおりです。

宅建士になるまでの流れ

宅建士試験合格 有効期間：一生	宅建士試験の合格者 ☆ 不正受験者は合格を取り消されることがある また、**3年以内**の受験を禁止されることもある ☆ 旧宅建試験に合格した者は宅建士試験に合格した者とみなす

↓ 登録の申請【任意】：試験合格地の都道府県知事に申請

宅建士資格登録 有効期間：一生	登録の条件 ❶ 欠格事由に該当しない ❷ **2年以上**の実務経験がある または 国土交通大臣の 登録実務講習 を修了した

↓ 交付の申請【任意】：登録地の都道府県知事に申請

宅建士証の交付 有効期間：5年	交付の条件 **原 則** 都道府県知事の 法定講習 を受講する **例 外** 試験合格後**1年以内**に宅建士証の交付を受ける場合は法定講習は免除される

② 宅建士でなければできない仕事

次の3つの仕事は、宅建士でなければできません。

チェック

宅建士でなければできない仕事

1. **重要事項の説明**
2. **35条書面**（重要事項説明書）**への記名**
3. **37条書面**（契約書）**への記名**

ひとこと

❷35条書面や❸37条書面は、相手方の承諾を得たうえで電磁的方法によって提供することができます。

③ 欠格事由（宅建士の登録の欠格事由）

登録の申請をしても、欠格事由に該当する人は宅建士として登録することができません。

④ 登　録

I 資格登録簿の登載事項

宅建士として登録すると、宅地建物取引士資格登録簿（資格登録簿）に一定の事項が記載されます。

登録簿の登載事項は次のとおりです。

資格登録簿の主な登載事項 ※○をつけたものだけおさえておけばOK

❶ 登録番号、登録年月日

❷ 氏名（希望者は旧姓を併記できる）

❸ 生年月日、性別

④ **住所**、**本籍**

⑤ 宅建業者に勤務している場合…その宅建業者の**商号**または**名称**、**免許証番号**

❻ 試験合格年月日、合格証書番号

❼ 指示処分、事務禁止処分があったときは、その年月日、その内容

II 変更の登録

前記の資格登録簿の登載事項のうち、❷氏名、❹住所、本籍、❺勤務先の宅建業者の商号または名称、免許証番号に変更があった場合は、（たとえ事務禁止処分を受けている場合でも）遅滞なく変更の登録を申請しなければなりません。

III 登録の効力

登録は一生有効です。また、登録は試験合格地の都道府県で行わなければなりませんが、どの都道府県で登録しても日本全国で宅建士としての業務を行うことができます。

IV 登録の移転

ある県（たとえば甲県）で登録したとしても、ほかの県（たとえば乙県）に登録を移転することができます。これを登録の移転といいます。

ひとこと

宅建士証の有効期間は5年で、その更新のたびに登録地の都道府県知事の指定する講習を受けなければなりません。

そのため、たとえば「東京で登録をしたけど、沖縄に転勤となった」という場合、そのままだと更新のたびに沖縄から東京まで講習を受けに行かなければならず、不便です。そこで登録の移転が認められているのです。

V 死亡等の届出

登録を受けている者が死亡したり、破産した場合等には、その旨を登録している都道府県知事に届け出なければなりません。

5 宅建士証

I 交付申請

宅建士の登録を受けている者は、登録している都道府県知事に対し、宅建士証の交付を申請することができます。

なお、宅建士証の交付を受けようとする者は、原則として、登録している都道府県知事が指定する講習（法定講習）で、交付の申請前**6カ月以内**に行われるものを受講しなければなりません。

ただし、試験に合格した日から**1年以内**に宅建士証の交付を受けようとする者などは、例外的に法定講習の受講が免除されます。

II 有効期間、更新

宅建士証の有効期間は**5年**です。

この有効期間を更新するためには、法定講習で、交付の申請前**6カ月以内**に行われるものを受講しなければなりません。

なお、更新後の有効期間も**5年**です。

H18－問32③改

A（甲県知事の登録を受けており、乙県内の宅地建物取引業者の事務所に勤務している）は、宅地建物取引士証の有効期間の更新を受けようとするときは、必ず甲県知事が指定する講習で交付の申請前1年以内に行われるものを受講しなければならない。

「申請前1年以内」ではなく、「申請前**6カ月**以内」である。　×

III 宅建士証の提示

次の場合には、宅建士証の提示が必要となります。

チェック

宅建士証の提示が必要な場合

❶ 取引の関係者から請求があったとき
❷ 重要事項の説明（35条の説明）をするとき
→こちらは「相手から請求されなくても」提示しなければならない！

IV 宅建士証の記載事項

宅建士証には、次の事項が記載されます。

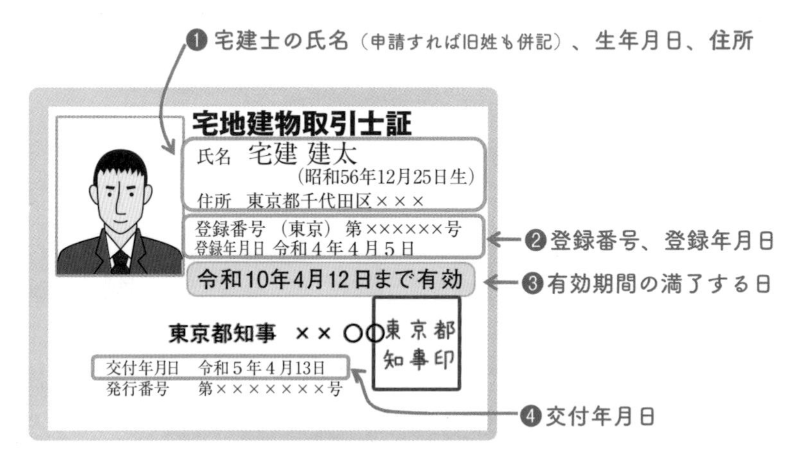

V 書換え交付

宅建士は、氏名または住所を変更したときは、変更の登録が必要ですが、さらに宅建士証の書換え交付を申請しなければなりません。

VI 再交付の申請

宅建士証をなくしたり、破損した場合等には、再交付を申請することができます。

なお、宅建士証をなくし、再交付を受けたあとに、従来の宅建士証を発見した場合には、すみやかに、発見したほう（古いほう）の宅建士証を、交付を受けた都道府県知事に返納しなければなりません。

Q H19ー問31④改

丁県知事から宅建士証の交付を受けている宅建士が、宅建士証の亡失によりその再交付を受けた後において、亡失した宅建士証を発見したときは、速やかに、再交付された宅建士証をその交付を受けた丁県知事に返納しなければならない。

A 返納するのは、「再交付された宅建士証（新しいほう）」ではなく、「発見した宅建士証（古いほう）」である。 ×

VII 返納と提出

1 返納

返納とは、交付を受けた都道府県知事に宅建士証を返すことをいいます。

次の場合には、宅建士証を返納しなければなりません。

返納が必要な場合

❶ 宅建士証が効力を失ったとき

❷ 登録が消除されたとき

2 提出

宅建士が、事務禁止処分を受けたときには、交付を受けた都道府県知事に宅建士証を提出しなければなりません。

営業保証金

★SECTION04はこんな話★

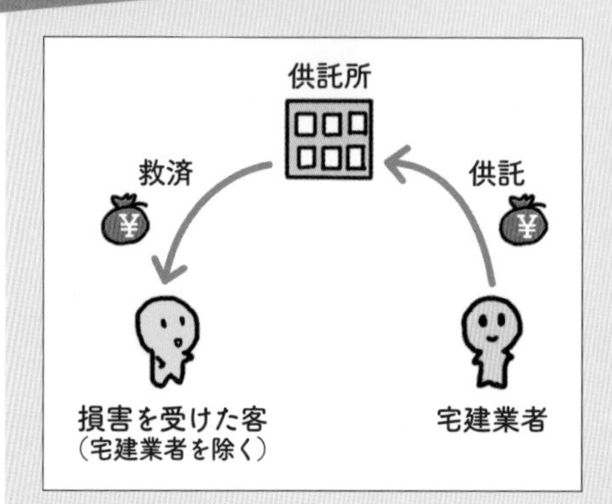

宅地・建物の取引は多額のお金がかかるので、トラブルがあったときは、損失が大きくなってしまいます。そこで、その損失を補償するための仕組みが必要になります。

宅建業者は、営業保証金の供託
（または弁済業務保証金分担金の納付）をする必要があります！

① 営業保証金制度とは

営業保証金制度とは、宅建業者と取引をし、損失を被った相手方（宅建業者を除く）がいる場合に、その損失を補償する制度です。

営業保証金制度の全体像は次のとおりです。

チェック

営業保証金制度の全体像

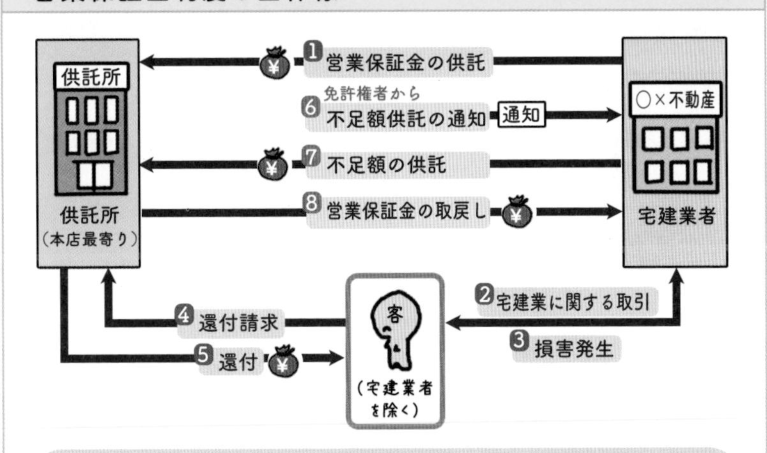

1 宅建業者は事業開始前に本店最寄りの供託所に営業保証金を供託します
2 顧客（宅建業者を除く）が宅建業者と宅建業に関する取引をして…
3 損害が発生したら、
4 顧客は供託所に「損害を補填して！」と営業保証金の還付請求をします
5 還付請求に基づいて供託所は損害を補填します（還付）

6 5によって供託額が不足するので、免許権者は宅建業者に対して「不足額を供託して！」と通知します
7 宅建業者は不足額を供託します
8 宅建業者が事業をやめる場合などには、供託しておいた営業保証金を取り戻すことができます

② 営業保証金の供託…1

I 営業保証金の供託

宅建業者は、営業保証金を本店（主たる事務所）最寄りの供託所（法務局）に供託しなければなりません。

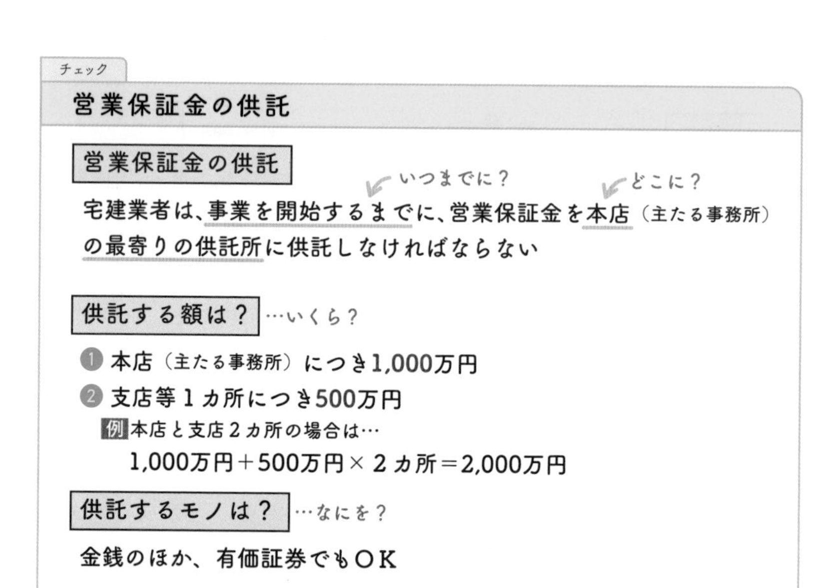

II 営業保証金の供託の届出

宅建業者は、営業保証金を供託した旨を免許権者（国土交通大臣または都道府県知事）に届け出たあとでなければ事業を開始することができません。

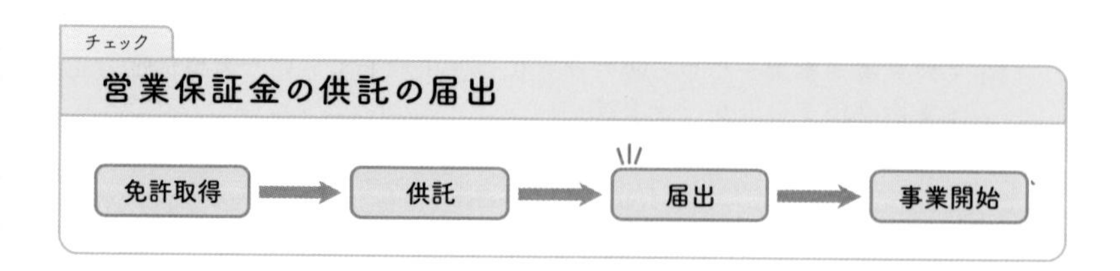

III 事務所を新設した場合の営業保証金の供託

宅建業者が事務所（支店等）を新設したときには、新設した事務所ごとに**500万円**を本店最寄りの供託所に供託しなければなりません。

事務所（支店等）を新設した場合も、「供託」→「届出」のあとでなければ、その新設した事務所（支店等）で事業を開始することはできません。

IV 保管替え等

本店を移転したことにより、最寄りの供託所が変更した場合、従来の供託所に預けている営業保証金を新たな供託所（新たな本店の最寄りの供託所）に移転しなければなりません。これを**保管替え**（ほかんが）といいます。

たとえば、埼玉にあった本店を東京に移した場合、埼玉の供託所に預けていた営業保証金を東京の供託所に移転します。

③ 営業保証金の還付…5

宅建業者と宅建業に関する取引をした人（宅建業者を除く）は、その債権について営業保証金の還付を受けることができます。

④ 営業保証金の追加供託…6 7

営業保証金の還付が行われると、供託している額に不足が生じるため、その不足額を追加で供託する必要があります。

⑤ 営業保証金の取戻し…8

I 取戻しとは

宅建業者が営業保証金を供託所から返してもらうことを（営業保証金の）**取戻し**といいます。

II 取戻しの方法

営業保証金を取り戻すときは、原則として**6カ月**以上の期間を定めて、公告（「債権を持っている人は申し出てください」というお知らせ）をしなければなりません。

そして、その期間の経過後でなければ営業保証金を取り戻すことはできません。

ただし、一定の場合には公告せずに（直ちに）取り戻すことができます。

III 届出

営業保証金を取り戻すための公告をした場合には、遅滞なく、その旨を免許権者に届け出なければなりません。

保証協会

★SECTION05はこんな話★

営業保証金

弁済業務
保証金分担金

負担額

営業保証金の額は大きく、事務所が１カ所だったとしても1,000万円も供託しなければなりません（SECTION 04）。しかし、宅地建物取引業保証協会（保証協会）に加入すると、より少額の弁済業務保証金分担金の納付で済み、営業保証金の供託が免除されます。

保証協会には、「全国宅地建物取引業保証協会」と
「不動産保証協会」の２つがあります！

① 保証協会の業務・社員

Ⅰ 保証協会の業務

保証協会が行う主な業務に弁済業務（べんさいぎょうむ）があります。

弁済業務とは、社員（保証協会に加入している宅建業者）と取引をした相手方（宅建業者を除く）の債権について弁済することをいいます。それ以外にも苦情の解決や研修なども業務として行いますがメインは弁済業務です。

保証協会の業務

必須業務 ← 必ず行わなければならない業務

❶ 苦情の解決

❷ 宅建業に関する研修

❸ 弁済業務 ← これがメイン
…社員（保証協会に加入している宅建業者）と取引をした相手方（宅建業者を除く）の債権について弁済

任意業務 ← 国土交通大臣の承認を受けて行うことができる業務

❹ 一般保証業務
…宅建業者が受領した預り金の返還債務等を連帯して保証

❺ 手付金等保管事業
…宅建業者を代理して手付金等を受領し、保管

❻ 研修実施に要する費用の助成業務
…全国の宅建業者を直接または間接の社員とする一般社団法人に対する宅建士等への研修の実施に要する費用の助成

Ⅱ 社員とは

保証協会に加入している人（宅建業者）を社員といいます。

保証協会に加入するかどうかは任意ですが、一つの保証協会の社員となったら、他の保証協会の社員とはなれません。

② 保証協会の弁済業務の流れ

保証協会のメイン業務である弁済業務の流れは、次のとおりです。

チェック

弁済業務の流れ

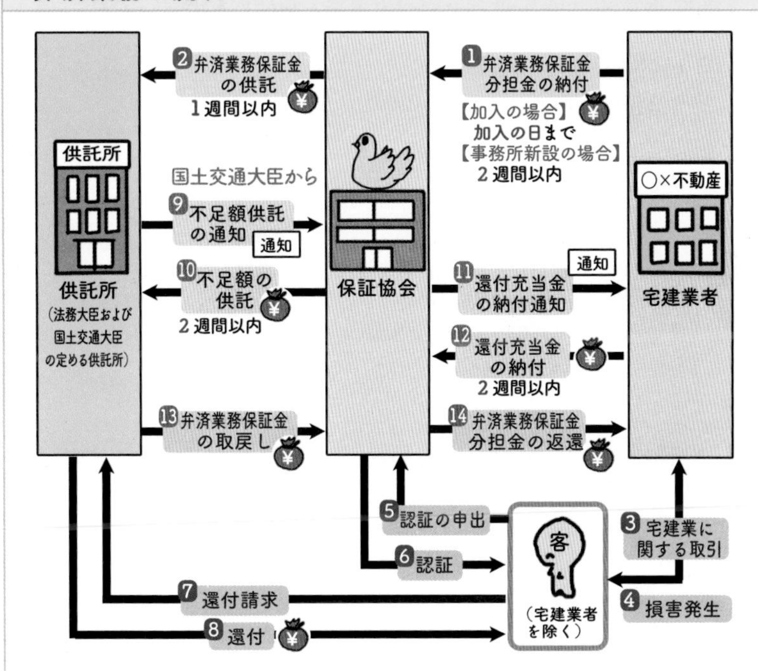

1 保証協会に加入しようとする者は、加入しようとする日までに(弁済業務保証金)分担金を保証協会に納付します

2 保証協会は1の分担金に相当する額を供託所(指定供託所)に供託します

3 宅建業に関する取引によって、
4 顧客(宅建業者を除く)に損害が発生したら、
5 顧客は保証協会に対して、認証の申出をします
6 認証されたら、
7 供託所に対して還付請求します
8 還付請求に基づいて供託所は損害を補塡します(還付)

9 **8**によって供託額が不足するので、国土交通大臣は 保証協会 に対して「不足額を供託して！」と通知します
10 保証協会 は 供託所 に不足額を供託します
11 保証協会 は 宅建業者 に、「あなたがかかわった損害金を供託してあげた（立て替えた）のだから、その分を充当して！」と通知します
12 宅建業者 は 保証協会 に還付充当金を納付します

13 & **14** 宅建業者 が事業をやめる場合などには、保証協会 を通じて分担金を取り戻すことができます

ひとこと

チェックの図からもわかるように、宅建業者と供託所は直接やりとりをすることはありません。必ず間に保証協会が入ります。
以下、保証協会の弁済業務について重要な点を解説していきます。

③ 弁済業務保証金分担金の納付…1 宅建業者 → 保証協会

宅建業者が保証協会に加入するには、**加入しようとする日**までに、加入後に新たに事務所を設置したときには、新たに事務所を設置した日から**2週間以内**に、**弁済業務保証金分担金**（以下、「分担金」）を保証協会に納付しなければなりません。

チェック

弁済業務保証金分担金の納付

納付する額は？ …いくら？

❶ 本店（主たる事務所）につき60万円
❷ 支店等1カ所につき30万円

営業保証金は「本店1,000万円、支店等1カ所につき500万円」だから、営業保証金に比べて相当安い！

納付するモノは？ …なにを？

金銭のみ
→ 営業保証金は有価証券もOKだったけど、分担金は有価証券は×
（「金額が小さいから金銭で払えるでしょ」ということ）

Q R1－問33①

宅地建物取引業者で保証協会に加入した者は、その加入の日から2週間以内に、弁済業務保証金分担金を保証協会に納付しなければならない。

A 保証協会に加入するには、**加入しようとする日までに**分担金を納付する必要がある。 ×

④ 弁済業務保証金の供託…2 保証協会→供託所

保証協会は、宅建業者から納付された分担金（全額）を、納付から**1週間以内**に法務大臣および国土交通大臣が定める供託所（以下、「指定供託所」）に供託しなければなりません。

ひとこと
現在は「東京法務局」が指定供託所となっています。

チェック
弁済業務保証金の供託

供託するモノは？

金銭または有価証券
→ 営業保証金と同様

	金　銭	有価証券
営業保証金の供託　SEC.04（宅建業者→供託所）	○	○
弁済業務保証金分担金の納付1（宅建業者→保証協会）	○	×
弁済業務保証金の供託2（保証協会→供託所）	○	○

届　出

保証協会は、供託後、社員である宅建業者の免許権者に供託に係る届出をしなければならない

⑤ 弁済業務保証金の還付…3～8

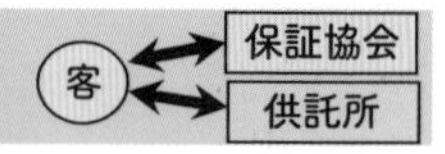

保証協会の社員（宅建業者）と宅建業に関する取引をした人（宅建業者を除く）は、その債権について弁済業務保証金から還付を受ける権利があります。

還付のポイントは次のとおりです。

チェック

弁済業務保証金の還付

その宅建業者が保証協会の社員でなかったとしたら、その者が供託しているはずの営業保証金の範囲内で還付を受けられる

例 宅建業者Aは保証協会の社員で、本店と支店２つがあるという場合は…

→還付限度額：1,000万円＋500万円×２ヵ所＝2,000万円

（Aが保証協会の社員でなかったとしたら、供託しているはずの営業保証金）

Aは加入時に120万円（60万円＋30万円×２ヵ所）しか納付していないのに、Aの客は2,000万円を限度として還付を受けられる！

事務所、案内所等に関する規制

★SECTION06はこんな話★

宅建業者が業務を行う場所としては、事務所のほか、モデルルーム、現地販売センターなど（以下「案内所等」）があります。

宅建業法では、この場所ごとに規制が異なります。たとえば、事務所には専任の宅建士を従業者５人につき１人以上置かなければなりませんが、申込み・契約をする案内所等には１人以上置けばよく、申込み・契約をしない案内所等では置く必要がありません。

宅建業者が業務を行う場所

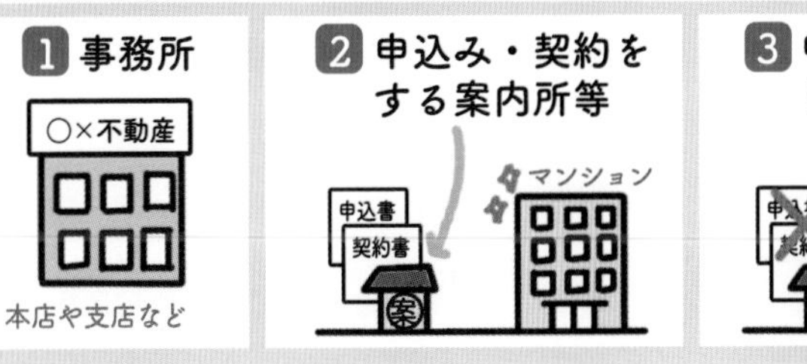

このように、事務所はもちろん、案内所等も無規制ではありません。さらに、どういった案内所等なのかによって変わってくることもあります！

① 案内所等の届出

申込み・契約をする案内所等を設ける場合には、業務を開始する10日前までに「免許権者」と「案内所等の所在地を管轄する都道府県知事」の両方に届出をしなければなりません。

② 事務所、案内所等に備え付けなければならないもの

Ⅰ 専任の宅建士

1事務所と**2申込み・契約をする案内所等**については、国土交通省令で定める数の成年者である専任の宅建士を設置しなければなりません。

Ⅱ 標識

すべての事務所、案内所等には、公衆の見やすい場所に**標識**を掲示しなければなりません。

なお、標識の記載事項は業務を行う場所ごとに異なります。

Ⅲ 帳簿

宅建業者は、**1事務所**ごとに、取引の内容を記載した**帳簿**を備え付けなければなりません。

Ⅳ 従業者名簿

宅建業者は、**1事務所**ごとに、従業者の情報を記載した**従業者名簿**を備え付けなければなりません。

Ⅴ 報酬額の掲示

宅建業者は、**1事務所**ごとに、**報酬額**を掲示しなければなりません。

以上の設置義務を一覧にすると、次のとおりです。

チェック

まとめ

	事務所	申込み・契約をする案内所等	申込み・契約をしない案内所等
専任の宅建士	○（従業者５人につき１人以上）	○（１人以上）	×
標　識	○	○	○
帳　簿	○	×	×
従業者名簿	○	×	×
報酬額	○	×	×

Q　H21－問42④改

宅地建物取引業者は、業務に関して展示会を実施し、当該展示会場において契約行為等を行おうとする場合、当該展示会場の従業者数5人に対して1人以上の割合となる数の専任の宅建士を置かなければならない。

A　「契約等を行う案内所等」には、専任の宅建士は1人以上いればよい。　×

Q　H23－問42㋑

A社（宅地建物取引業者）は、売買契約の締結をせず、契約の申込みの受付も行わない案内所を設置する場合、法第50条第1項に規定する標識を掲示する必要はない。

A　申込み・契約をしない案内所等にも標識の掲示が必要である。　×

③ 従業者証明書の携帯義務

宅建業者は、従業者に従業者証明書（従業員であることを証する証明書）を携帯させなければなりません。

業務上の規制

★SECTION07はこんな話★

重要事項の説明、35条書面への記名、37条書面への記名は、宅建士の独占業務（SECTION 03-2宅建士でなければできない仕事）となっています。また、媒介契約・代理契約についてもここで扱うなど、特に重要なものが続きます。

制度趣旨

宅地建物の取引は、契約内容や権利関係が複雑

↓

重要事項説明	紛争のおそれを防止し、購入者等が十分理解して契約を締結する機会を与える
媒介契約書面 37条書面	成立した契約内容を明確に書面に記載して、契約当事者相互に十分認識させ、紛争を防止する

ここは、試験のヤマです！

① 媒介契約・代理契約

I 媒介と代理

媒介(ばいかい)とは、宅建業者が宅地・建物の売主（または買主）から依頼を受けて、買主（または売主）を探すことをいいます。

一方、代理(だいり)とは、宅建業者が当事者に代わって売買契約等を締結することをいいます。

宅建業法では、媒介契約と代理契約について、同じような規制をしていますので、ここでは媒介契約を例に、その規制についてみていきます。

ひとこと

媒介契約・代理契約の規制は、宅地・建物の売買・交換の場合について適用され、貸借の場合（貸借の媒介・代理）には適用されません。

Ⅱ 媒介契約の種類

媒介契約には、**一般媒介契約**、**専任媒介契約**、**専属専任媒介契約**の3つがあります。

チェック

媒介契約の種類

たとえば、Aさんが「自宅を売却したいから、買主を探して」と甲宅建業者に依頼したとする…

この場合において…

	一般媒介契約	専任媒介契約	専属専任媒介契約
依頼者は他の宅建業者に重ねて媒介を依頼できるか? Aさんは乙宅建業者にも「買主を探して」と依頼できるか?	○ できる	× できない	× できない
依頼者は宅建業者が探した相手方以外の人と契約することができるか? Aさんは甲宅建業者が探してきた買主Bさんではなく、自分で探してきたCさんと契約すること(=自己発見取引)ができるか?	○ できる	○ できる	× できない

Ⅲ 媒介契約の規制

一般媒介契約以外の媒介契約(専任媒介契約と専属専任媒介契約。以下「専任媒介契約等」)においては、**1**有効期間、**2**業務処理状況の報告、**3**指定流通機構への登録について規制があります。

また、すべての媒介契約において、**4**宅地・建物の売買・交換の申込みがあった場合の報告について規制があります。

1 有効期間

専任媒介契約等を締結した場合、その契約の有効期間は**3カ月**を超えることができません。もし、3カ月を超える期間を定めた場合には、強制的に3カ月となります。

専任媒介契約等では、他の宅建業者に重ねて依頼できないため、契約の有効期間が長すぎると、依頼者はいつまでたっても、他の宅建業者に依頼できなくなってしまいます。そのため、有効期間の制限があるのです。

なお、有効期間が満了したあとは、依頼者からの申出がある場合のみ、契約を更新することができます（自動更新は不可）。

更新後の有効期間も**3カ月**となります。

H19－問39④

前提 宅地建物取引業者であるAは、BからB所有の宅地の売却について媒介の依頼を受けた。

Aは、Bとの間で有効期間を2か月とする専任媒介契約を締結する際、「Bが媒介契約を更新する旨を申し出ない場合は、有効期間満了により自動更新するものとする」旨の特約を定めることができる。

申し出の有無にかかわらず自動更新は不可である。

2 業務処理状況の報告

専任媒介契約等を締結した場合、宅建業者は依頼者に対し、業務の内容を定期的に報告しなければなりません。

報告の頻度は、専任媒介契約の場合は2**週間に1回以上**、専属専任媒介契約の場合は1**週間に1回以上**となります。

3 指定流通機構への登録

専任媒介契約等を締結した場合、国土交通大臣の指定する流通機構（不動産の流通情報システム。レインズともいう）への登録が義務付けられています。

指定流通機構への登録期間は、専任媒介契約の場合は契約日から7**日以内**（休業日を除く）、専属専任媒介契約の場合は契約日から5**日以内**（休業日を除く）です。

チェック

指定流通機構について

☆ 指定流通機構に登録する内容は次のとおり

- ◆ 宅地・建物の所在、規模、形質、売買すべき価額（交換の場合は評価額）
- ◆ 宅地・建物に係る都市計画法その他の法令にもとづく制限で主要なもの
- ◆ 専属専任媒介契約の場合は、その旨
- ◆ 宅地・建物の取引の申込みの受付に関する状況

☆ 指定流通機構に登録した宅建業者は、指定流通機構が発行する登録を証する書面を、遅滞なく、依頼者に引き渡さなければならない

書面の引渡しに代えて、依頼者の承諾を得て、電磁的方法により提供することもできる

☆ 宅建業者は、登録した宅地・建物の売買や交換の契約が成立したときは、遅滞なく、その旨を指定流通機構に通知しなければならない

通知事項

- ◆（登録を証する書面の）登録番号
- ◆ 宅地・建物の取引価格
- ◆ 売買または交換の契約が成立した年月日

4 宅地・建物の売買・交換の申込みがあった場合の報告

媒介契約（一般・専任・専属専任媒介契約）を締結した宅建業者は、媒介契約の目的物である宅地・建物の売買または交換の申込みがあったときは、遅滞なく、その旨を依頼者に報告しなければなりません。

そして、これに反する特約は無効となります。

IV 媒介契約書面（34条の2書面）

宅建業者は、宅地・建物の売買または交換の媒介契約を締結したときは、遅滞なく、その内容を記載した書面（媒介契約書面）を作成し、依頼者に交付（または、依頼者の承諾を得て電磁的方法により提供）しなければなりません。

媒介契約書面（34条の2書面）のポイントと記載事項をまとめると、次のとおりです。

チェック

媒介契約書面（34条の2書面）のポイントと記載事項

ポイント

- 宅地・建物の売買・交換の媒介の場合に交付が必要
  - 注 貸借の媒介の場合は不要
- 媒介契約書面には、宅建業者の記名押印が必要
  - 注「宅建士」ではない
  - 注 押印も必要
- 交付場所はどこでもよい
  - 注 宅建業者の事務所である必要はない
- 依頼者の承諾を得て電磁的方法により提供してもよい

記載事項

1. 宅地・建物を特定するために必要な表示 → 所在、地番、面積等
2. 売買すべき価額または評価額（媒介価格）

   ポイント

   - 宅建業者が媒介価格に意見を述べるときは、その根拠を明らかにしなければならない（口頭でもよい）
     - 注 媒介価格より高くても、低くても
3. 媒介契約の種類 → 一般or専任or専属専任
4. 報酬に関する事項
5. 有効期間および解除に関する事項
6. 契約違反があった場合の措置
7. 媒介契約が標準媒介契約約款にもとづくものかどうか
   - …とは？ 国土交通大臣が定めたひな形のこと。このひな形にもとづいていなくてもよいが、もとづいているか、もとづいていないかは記載が必要
8. 指定流通機構への登録に関する事項

   ポイント

   - 一般媒介契約の場合でも省略は不可
     - 注 一般媒介契約は、指定流通機構への登録義務はないが、登録しても、しなくても、その旨の記載が必要

⑨ 既存の建物の場合、依頼者に対する建物状況調査（インスペクション）を実施する者のあっせんに関する事項

…とは？ 建物の構造耐力上主要な部分・雨水の浸入を防止する部分として国土交通省令で定めるものの状況の調査であって、経年変化その他の建物に生じる事象に関する知識および能力を有する者として国土交通省令で定める者（建築士であり、かつ、国土交通大臣が定める講習修了者）が実施するもの

② 広告に関する規制

I 誇大広告等の禁止

宅建業者は、その業務について広告をするときは、宅地・建物に関し、著しく事実に相違する表示または実際のものよりも著しく優良・有利であると誤認させるような表示をすること（誇大広告等）は禁止されています。

チェック

誇大広告等の禁止

☆ 広告の手段は、新聞やチラシ、インターネット等も含む

☆ おとり広告も禁止されている

…とは？ 実際にはない物件や、取引できない物件、取引するつもりがない物件を広告すること

☆ 誇大広告等を行った場合、実際に損害を受けた人がいないときでも、宅建業法違反となる

試験でよく出る！

Q H29－問42㋒

顧客を集めるために売る意思のない条件の良い物件を広告することにより他の物件を販売しようとした場合、取引の相手方が実際に誤認したか否か、あるいは損害を受けたか否かにかかわらず、監督処分の対象となる。

A 本問のような、いわゆる「おとり広告」も禁止されている。おとり広告は、取引の相手方が実際に誤認したかどうか、損害を受けたかどうかにかかわらず、監督処分の対象となる。 ○

Ⅱ 広告の開始時期、契約締結の時期の制限

宅建業者は、未完成物件について、開発許可（宅地の造成工事の場合）や建築確認（建物の建築工事の場合）を受ける前は、その物件にかかる広告をすることはできません。

また、開発許可や建築確認を受ける前は、契約をすることもできません。ただし、貸借（貸借の代理・媒介）の場合には、開発許可や建築確認を受ける前でも、契約をすることができます。

チェック

広告の開始時期、契約締結の時期の制限

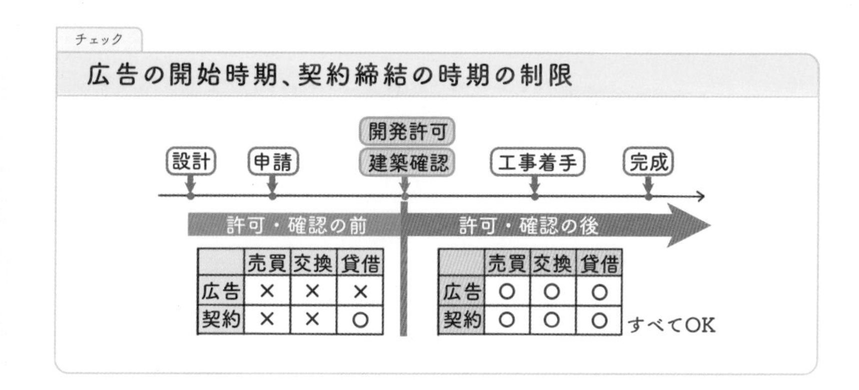

許可・確認の前

	売買	交換	貸借
広告	×	×	×
契約	×	×	○

許可・確認の後

	売買	交換	貸借
広告	○	○	○
契約	○	○	○

III　取引態様の明示義務

宅建業者は、宅建業に関する広告をするさいには、取引態様（自ら売買・交換、売買・交換・貸借の代理、売買・交換・貸借の媒介）を広告に記載しなければなりません。

また、宅建業者は、宅建業に関する注文を受けたさいには、遅滞なく、取引態様を明示しなければなりません。

③ 重要事項の説明（35条書面）

I　重要事項の説明・交付

宅建業者は、契約が成立するまでに、土地・建物を取得し、または借りようとしているお客さん（宅建業者を除く）に対して、一定の重要事項を書面を交付して説明しなければなりません。

ひとこと

重要事項の説明は、宅建業法第35条に規定されているので、この書面（重要事項説明書）を35条書面ともいいます。

なお、お客さん（この場合は宅建業者を含む）の承諾があれば、35条書面に記載すべき事項を電磁的方法により提供することもできます。

また、お客さんが宅建業者である場合には、35条書面の交付（または電磁的方法による提供）は必要ですが、説明は原則として不要です。

チェック

重要事項の説明・交付

誰が説明する？	宅建士　☆専任の宅建士でなくてよい …というか、「専任」でなければできない業務はない
誰に説明する？	売買の場合…買主 貸借の場合…借主 交換の場合…両当事者 ☆売主、貸主には説明しなくてもよい ☆買主、借主等が宅建業者の場合には、基本的には説明不要（宅地・建物に係る信託で宅建業者を委託者とするものの受益権の売買のときは説明が必要）
いつ説明する？	契約が成立するまで
どのように説明・交付（提供）する？	**宅建業者以外に対しては…** ☆宅建士の記名がある重要事項説明書（35条書面）を交付して説明 ☆相手方の承諾を得て電磁的方法により提供してもよい ☆説明のさい、宅建士証を提示する必要がある →注 相手から提示を求められなくても、必ず提示しなければならない！ →違反すると10万円以下の過料に処せられる（罰則） ☆一定の要件を満たせば説明をテレビ会議等のＩＴを活用して行うこと（ＩＴ重説）もできる **宅建業者に対しては…** ☆宅建士の記名がある重要事項説明書（35条書面）の交付（または電磁的方法による提供）のみでよい →宅建士が交付する必要はない
どこで説明する？	規制なし（どこでもよい）

Ⅱ 重要事項の説明の内容

重要事項説明書（35条書面）の記載事項は次のとおりです。

1 取引物件に関すること

	売買・交換		貸借	
	宅地	建物	宅地	建物
❶ 登記された権利の種類・内容等	●	●	●	●
❷ 法令上の制限	●	●	●※1	※2
❸ 私道負担に関する事項	●	●	●	
❹ 電気、ガス、水道等の供給施設、排水施設の整備状況	●	●	●	●
❺ 既存建物の場合、建物状況調査の結果の概要、建物の建築・維持保全の状況に関する書類の保存の状況		●		●※3
❻ 未完成物件の場合、完了時の形状・構造等	●	●	●	●
❼ 造成宅地防災区域内か否か	●	●	●	●
❽ 土砂災害警戒区域内か否か	●	●	●	●
❾ 津波災害警戒区域内か否か	●	●	●	●
❿ 水害ハザードマップにおける、取引の対象となる宅地・建物の所在地	●	●	●	●
⓫ 石綿使用の調査の内容		●		●
⓬ 耐震診断の内容		●		●
⓭ 住宅性能評価を受けた新築住宅		●		

※1　土地所有者に限って適用されるものは説明事項とはされない
※2　建物の賃借人に適用されるものが説明事項とされる
※3　建物の建築・維持保全の状況に関する書類の保存の状況は、売買・交換に限る

2 区分所有建物（マンション等）における追加説明

	区分所有建物(マンション等)	
	売買・交換	貸借
❶ 敷地に関する権利の種類・内容	●	
❷ 共用部分に関する規約	●	
❸ 専有部分の用途その他の利用の制限に関する規約	●	●
❹ 専用使用権に関する規約	●	
❺ 建物の所有者が負担すべき費用を特定の者にのみ減免する旨の規約	●	
❻ 修繕積立金の内容、すでに積み立てられている額	●	
❼ 通常の管理費用の額	●	
❽ 管理の委託先	●	●
❾ 建物の維持修繕の実施状況	●	

3 取引条件に関すること

	売買・交換		貸借	
	宅地	建物	宅地	建物
❶ 代金、交換差金、借賃以外に授受される金銭	●	●	●	●
❷ 契約の解除	●	●	●	●
❸ 損害賠償額の予定、違約金	●	●	●	●
❹ 手付金保全措置の概要	●	●		
❺ 支払金、預り金の保全措置の概要	●	●	●	●
❻ 代金、交換差金に関する金銭の貸借(住宅ローン)のあっせんの内容、貸借不成立時の措置	●	●		
❼ 一定の担保責任の履行に関する措置の概要	●	●		

4 賃貸借契約における追加説明

	貸借	
	宅地	建物
❶ 台所、浴室、便所その他の当該建物の設備の整備状況		●
❷ 契約期間、契約の更新に関する事項	●	●
❸ 当該宅地・建物の用途その他の利用の制限に関する事項 【例】ペット飼育禁止、事務所使用禁止など	●	●
❹ 当該宅地・建物の管理が委託されているときは、委託先の氏名(法人の場合は商号または名称)および住所(法人の場合は主たる事務所の所在地)	●	●
❺ 敷金その他契約終了時に精算されることとされている金銭の精算に関する事項	●	●
❻ 定期借地権である場合はその旨	●	
❼ 定期建物賃貸借である場合はその旨		●
❽ 高齢者の居住の安定確保に関する法律に規定する終身建物賃貸借をしようとするときはその旨 借主が死ぬまで借り続けられる物件		●
❾ 契約終了時における宅地上の建物の取壊しに関する事項を定めようとするときは、その内容	●	

ひとこと

このほか、「割賦販売において追加すべき事項」もありますが、重要度が低いので説明を省略します。

4 供託所等の説明

宅建業者は、契約が成立するまでに、お客さんに対して、供託所等に関する事項について説明しなければなりません。

なお、お客さんが宅建業者である場合には、供託所等に関する事項について説明する必要はありません。

チェック

供託所等の説明

説明事項

宅建業者が保証協会に加入していない場合	営業保証金を供託した供託所（主たる事務所の最寄りの供託所）とその所在地
宅建業者が保証協会に加入している場合	❶ 保証協会の社員である旨 ❷ 保証協会の名称、住所、事務所の所在地 ❸ 保証協会が弁済業務保証金を供託している供託所、所在地

ポイント

- 供託所等について、契約が成立するまでに説明しなければならない
- 説明の方法は、口頭でもよい
- 宅建士が説明する必要はない
- 宅建業者に対しては説明不要

5 契約書（37条書面）の交付

I 契約書（37条書面）の交付

宅建業者は、契約が成立したあと、契約内容を記載した書面（37条書面）を交付しなければなりません。

なお、書面の交付に代えて、本来なら書面を交付すべき相手方の承諾があれば、37条書面に記載すべき事項を電磁的方法により提供することもできます。

チェック

契約書（37条書面）の交付

	37条書面		35条書面は…
説明は？	不要 ☆（請求がない限り）宅建士証の提示は不要	違う	宅建士による説明が原則必要 ☆宅建士証の提示が必要
誰が交付する？	宅建業者 ☆「宅建士」ではない	同じ	宅建業者
誰に交付する？	契約の両当事者 ☆売主、貸主にも交付	違う	売買…買主 貸借…借主 交換…両当事者
いつ交付する？	契約が成立したあと	違う	契約が成立するまで
何を交付する？	宅建士の記名がある契約書面（37条書面）	同じ	宅建士の記名がある書面（35条書面）
どこで交付する？	規制なし（どこでもよい）	同じ	規制なし（どこでもよい）

☆37条書面も35条書面も、一定の場合に電磁的方法による提供ができる

Q H21－問35②改

建物の売買契約において、宅地建物取引業者が売主を代理して買主と契約を締結した場合、当該宅地建物取引業者は、買主にのみ37条書面を交付又は政令に定めるところにより、買主の承諾を得て、37条書面に記載されるべき事項を電磁的方法であって国土交通省令で定めるものにより提供すれば足りる。

A 37条書面（買主の承諾を得て、電磁的方法により提供する場合も含む）は、契約の両当事者（買主と売主）に交付しなければならない。 ×

Ⅱ 契約書（37条書面）の記載事項

契約書（37条書面）の記載事項は次のとおりです。

		売買・交換	貸借
必ず記載する事項	❶ 当事者の**氏名**（法人の場合は名称）および住所	●	●
	❷ 宅地・建物を特定するのに必要な表示（宅地…所在、地番等／建物…所在、種類、構造等）	●	●
	❸ 代金・交換差金・借賃の額、その支払時期、支払方法	●	●
	❹ 宅地・建物の**引渡時期**	●	●
	❺ **移転登記の申請の時期**	●	
	❻ 既存の建物の構造耐力上主要な部分等の状況について当事者の双方が確認した事項	●	
その定めがあるときに記載が必要な事項	❼ **代金・交換差金・借賃以外**の金銭の授受に関する定めがあるとき ↖手付金、敷金、礼金など ➡その額、金銭の授受の時期、目的	●	●
	❽ **契約の解除**に関する定めがあるとき ➡その内容	●	●
	❾ **損害賠償額の予定、違約金**に関する定めがあるとき➡その内容	●	●
	❿ **天災その他不可抗力による損害の負担**に関する定めがあるとき ➡その内容	●	●
	⓫ 代金・交換差金についての金銭の貸借（ローン）のあっせんに関する定めがある場合 ➡当該あっせんに係る金銭の貸借が成立しないときの措置	●	
	⓬ 一定の**担保責任**（当該宅地・建物が種類・品質に関して契約の内容に適合しない場合におけるその不適合を担保すべき責任）または当該責任の履行に関して講ずべき保証保険契約の締結その他の措置についての定めがあるとき ➡その内容	●	
	⓭ 当該宅地・建物に係る**租税その他の公課の負担**に関する定めがあるとき ➡その内容	●	

⑥ その他の業務上の規制

I 業務に関する禁止事項

宅建業者の業務に関する禁止事項として、以下のようなものがあります。

チェック

業務に関する禁止事項（主なもの）

1 重要な事実の不告知、不実のことを告げる行為の禁止

契約の締結の勧誘をするさい、または契約の申込みの撤回・解除、債権の行使をさせないようにするため、重要な事項について、わざと事実を告げなかったり、ウソを言ってはいけない

要するに 「契約を取りたいからといって、重要なことを言わなかったり、ウソを言って契約を取り付けてはいけませんよ」ということ

2 不当に高額な報酬を要求する行為の禁止

宅建業者は、不当に高額な報酬を要求することはできない

3 手付貸与等の禁止

宅建業者が手付金を貸したり、立て替えたりすることによって、契約の締結を誘導してはいけない

4 断定的判断の提供の禁止

契約の締結の勧誘にさいし、利益が生じることが確実であると誤解させるような断定的判断の提供をしてはいけない

たとえば 「5年後には、価格が2倍になるのは確実ですよ」など

5 威迫行為の禁止

契約の締結の勧誘をするため、または契約の申込みの撤回・解除をさせないようにするため、相手方を威迫してはいけない

…とは？ 威力でおさえつけること

Q H18－問40②改

建物の販売に際して、不当に高額の報酬を要求したが、実際には国土交通大臣が定める額を超えない報酬を受け取った場合、宅地建物取引業法の規定に違反しない。

A 「不当に高額の報酬を要求した」時点で、宅建業法違反。実際に受け取ったかどうかは関係ない。

Ⅱ その他の一般的な禁止事項

上記以外の一般的な禁止事項として、以下のようなものがあります。

1 守秘義務

宅建業者やその従業員は、正当な理由なしに、業務上知り得た秘密をほかに漏らしてはいけません。宅建業者が廃業したり、従業員が退職したあとでも、同様の守秘義務が課せられます。

2 不当な履行遅延の禁止

宅建業者は、その業務に関してなすべき、宅地・建物の❶登記、❷引渡し、❸代金の支払い等の行為を不当に遅延してはいけません。

自ら売主となる場合の8つの制限（8種制限）

★SECTION08はこんな話★

8種制限は、宅建業者ではない買主が著しく不利な地位に置かれる契約内容や、大損害を受ける原因となる契約内容の適正化を目的としています。

宅建業法にも、
クーリング・オフ制度があります！

① 自ら売主となる場合の8つの制限（8種制限）

宅建業法では、宅建業者が自ら売主となって取引する場合に適用される、特別な制限を8つ設けています（8種制限）。

8種制限

1. クーリング・オフ制度
2. 一定の担保責任の特約の制限
3. 損害賠償額の予定等の制限
4. 手付の性質、手付の額の制限
5. 手付金等の保全措置
6. 自己の所有に属しない物件の売買契約（他人物売買）の制限
7. 割賦（かっぷ）販売契約の解除等の制限
8. 所有権留保等の禁止

本書では、1～6について、みていきます。

なお、この制限は、売主が宅建業者（プロ）、買主が宅建業者以外の一般人（素人）となる場合にのみ適用されます。

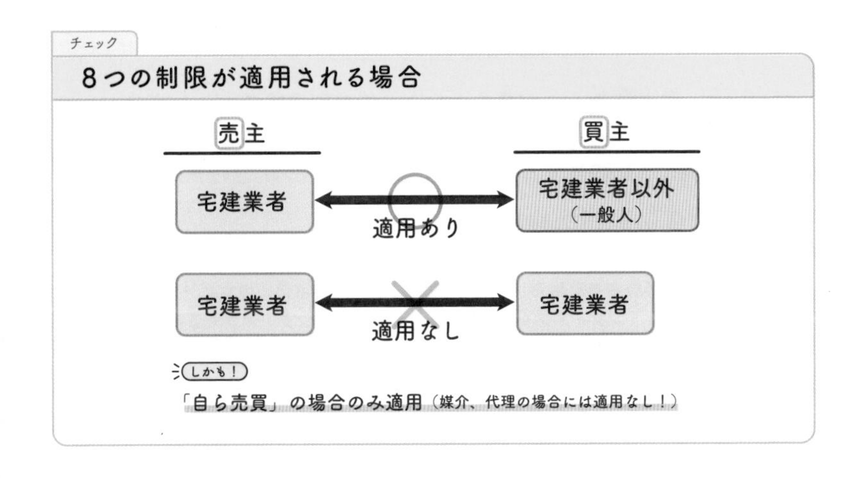

② クーリング・オフ制度…1

クーリング・オフ制度とは、お客さんがいったん行った契約や申込みをキャンセルすることをいいます。

I クーリング・オフができない場所

ただし、どんな場合にもクーリング・オフができるわけではなく、以下の場所で契約を締結したり、申込みをした場合には、クーリング・オフは適用されません。

ひとこと

クーリング・オフは、冷静な判断をできない場所で契約や申込みを行ってしまったお客さんを保護するための制度です。だから、冷静な判断ができる場所で行った場合には適用されないのです。

チェック

クーリング・オフができない場所

❶ 事務所 ← 事務所に行くということは、買う気で行くわけだから保護する必要はないよね→クーリング・オフできない

❷ 以下の場所で専任の宅建士を設置する義務がある場所

- a. 事務所以外で、継続的に業務を行うことができる施設を有する場所
  - → 営業所など
- b. 一団の宅地建物の分譲を行う、土地に定着する案内所
  - だから → モデルルーム、モデルハウスなど…クーリング・オフできない
  - テント張りの案内所…クーリング・オフできる
- c. 宅建業者（A）が売主となり、他の宅建業者（B）に媒介または代理の依頼をしたときは、他の宅建業者（B）の❶❷a.bに該当する場所

❸ 買主が自ら申し出た場合の自宅、勤務先

- → 宅建業者が申し出た場合の
  - たとえば 買主の自宅や勤務先…クーリング・オフできる
- → 買主が自ら申し出た場合の
  - たとえば 喫茶店やホテルのロビー…クーリング・オフできる

Ⅱ 申込みの場所と契約締結の場所が異なる場合

たとえば、宅建業者の事務所で買受けの申込みを行い、後日、喫茶店で契約を締結した、というように、買受けの申込みの場所と契約を締結した場所が異なる場合、クーリング・オフ制度が適用されるかどうかは、**申込みの場所**で判断します。

Ⅲ クーリング・オフができなくなる場合

次の場合には、たとえ買受けの申込みの場所がクーリング・オフできる場所に該当していても、クーリング・オフができなくなります。

チェック

クーリング・オフができなくなる場合

❶ クーリング・オフができる旨、方法を宅建業者から書面で告げられた日から起算して8日を経過した場合

→ 口頭で告げられた場合には、いつまでもクーリング・オフできる！

❷ 買主が｛宅地・建物の引渡しを受け　かつ　代金の全額を支払った｝場合

Ⅳ クーリング・オフの方法

クーリング・オフは必ず書面で行わなければなりません。また、買主が書面を発したときにクーリング・オフの効果が生じます（発信主義）。

Q　H21－問34①

宅地建物取引業者が自ら売主となる場合において、宅地建物取引業者でない買主が、法第37条の 2 の規定に基づくいわゆるクーリング・オフによる契約の解除をするときは、その旨を記載した書面が当該宅地建物取引業者に到達した時点で、解除の効力が発生する。

A　クーリング・オフの効果は「宅建業者に到達した時点」ではなく、「**買主が書面を発した時点**」で生じる。 

V　クーリング・オフの効果

適正にクーリング・オフがされた場合、売主（宅建業者）は、すでに受け取った手付金や代金等をすべて返さなければなりません。

③ 一定の担保責任の特約の制限…2

担保責任（たんぽせきにん）とは、たとえば完成したばかりの新築住宅を購入したが、その品質が契約の内容に適合していない（雨漏りなど）場合に売主が負うべき一定の責任のことです。

I　民法の規定

民法の規定によると、売買において、引き渡された目的物が種類・品質・数量に関して契約の内容に適合しないものである場合、あるいは、売主が買主に移転した権利が契約の内容に適合しないものである場合など、一定の要件を満たすときには、買主は、売主に対して、**追完請求・代金減額請求・損害賠償の請求・契約の解除**ができます。

しかし、売主が種類・品質に関して契約の内容に適合しない目的物を買主に引き渡した場合、**買主がその不適合を知った時から1年以内**にその旨を売主に通知しないときは、買主は、原則として、その不適合を理由として、追完請求・代金減額請求・損害賠償の請求・契約の解除ができなくなります。

ひとこと

ただし、売主が引渡しの時にその不適合を知り、または重大な過失によって知らなかったときは、この期間制限はありません。

なお、民法では「契約の内容に不適合があっても売主は担保責任を負わない」等の特約を付けることもできるとしています。

Ⅱ 宅建業法の規定

宅建業法では、宅建業者は、自ら売主となる宅地・建物の売買契約において、その目的物が、種類・品質に関して契約の内容に適合しない場合におけるその不適合を担保すべき責任について民法の規定よりも買主に不利となる特約をしてはならず、この規定に反する特約は無効とする、と規定しています。

ただし、民法で規定する「買主がその不適合を知った時から1年以内にその旨を売主に通知」という期間制限の部分については、特約で**引渡しの時から2年以上**の期間を定めた場合、その特約は**有効**となります。

 損害賠償額の予定等の制限…3

Ⅰ 民法の規定

事前に損害賠償額の取決めをしていなかった場合には、損害を被った側の実損額（実際に損をした額）が損害賠償額となります。

また、損害賠償額を事前に決めておくこともでき、これを**損害賠償額の予定**といいます。

損害賠償額を予定しておくと、実際の損害額を証明する手間が省けます。また、「損害賠償額はいくらだ！」「それは高すぎるのではないか？」といった争いも防げます。

民法では、損害賠償の予定額には制限がありません。

Ⅱ 宅建業法の規定

宅建業法では、宅建業者が自ら売主となる売買契約においては、損害賠償額を予定し、または違約金を定める場合には、これらを合算した額が代金の**10分の2**を超えることができないとしています。

なお、**10分の2**を超える定めをした場合、その超える部分が無効となります。

ひとこと

損害賠償額を予定しない場合または違約金を定めない場合には、実損額となります（10分の2の制限はありません）。

5 手付の性質、手付の額の制限…4

Ⅰ 手付の性質の制限

手付とは、売買契約において、買主が売主に対してあらかじめ交付する金銭等をいいます。

手付には、次の3種類があります。

手付の種類

証約手付	契約の成立を証するために交付される手付
違約手付	契約違反があった場合に、没収されるものとして交付される手付
解約手付	売買契約を解除するときに用いられるものとして交付される手付 買主は…売主が履行に着手するまで、手付を放棄して契約を解除することができる 売主は…買主が履行に着手するまで、手付の倍額を現実に提供して契約を解除することができる

1 民法の規定

民法では、手付の種類は当事者の合意によって決められます。

なお、特段の定めがない場合の手付は、解約手付と推定されます。

2 宅建業法の規定

宅建業法では、宅建業者が自ら売主となる売買契約においては、手付がどんな種類であったとしても解約手付とされます。

II 手付の額の制限

1 民法の規定

民法では、手付の額は当事者間で自由に決めることができます。

2 宅建業法の規定

宅建業法では、宅建業者が自ら売主となる売買契約においては、手付の額は代金の10分の2を超えることができないとしています。

なお、10分の2を超える定めをした場合には、その超える部分が無効となります。

⑥ 手付金等の保全措置…5

I 手付金等の保全措置の必要性

手付金は、契約締結後、物件の引渡前に売主（宅建業者）に支払われます。

不動産売買では、物件の代金が大きいので、手付金も何千万円になることがあります。もし、宅建業者が手付金を受け取ったあと、倒産してしまったら、買主は、物件は受け取れないわ、何千万円もの手付金は返してもらえないわ、と散々な目にあってしまいます。

そのため、宅建業者は手付金等の保全措置をしたあとでなければ、手付金等を受け取れないことになっています。

Ⅱ 手付金等とは

ここでいう手付金等とは、契約締結後、物件の引渡前に支払われる金銭をいいます。

⑦ 自己の所有に属しない物件の売買契約の制限…6

Ⅰ 民法の規定

民法では、他人のものを売る契約（他人物売買）は有効となります。

Ⅱ 宅建業法の規定

宅建業者が自ら売主となる場合は、一定の例外を除き、原則として他人物売買は禁止されています。

報酬に関する制限

★SECTION09はこんな話★

宅建業者は、宅地・建物の売買・交換・貸借の媒介や代理を行い、契約が成立したときは、依頼主から報酬を受け取ることができます。しかし、どれだけ受け取ってもいいわけではありません。

受け取れる報酬額には
限度があります！

1 報酬に関する制限の全体像

I 必要経費

宅建業者は、契約を成立させるために必要経費がかかったとしても、原則として報酬とは別に必要経費を請求することはできません。

ただし、例外として依頼者から依頼されて行った広告の料金などの場合には、報酬とは別に必要経費を請求することができます。

II 消費税

消費税とは、モノやサービスを消費したときにかかる税金をいい、税率は10%（消費税率7.8%、地方消費税率2.2%）です。

1 消費税の課税対象

宅地・建物の取引における、消費税がかかる取引（課税取引）と消費税がかからない取引（非課税取引）の区別は次のとおりです。

チェック

消費税の課税対象（課税取引か非課税取引か）

		売買・交換 売買代金・交換の評価額	貸借 地代・賃料・権利金
土地		非課税	非課税
建物	居住用	課税	非課税
建物	居住用以外 事務所、店舗など	課税	課税

2 報酬にかかる消費税

宅建業者が**課税業者**（かぜいぎょうしゃ）（消費税を納める義務がある者）である場合には、報酬額に10%の消費税額を上乗せした金額を受け取ることができます。

一方、宅建業者が**免税業者**（めんぜいぎょうしゃ）（消費税を納める義務がない者）である場合には、報酬額に消費税額を上乗せすることはできません。しかし、宅建業者は広告代金等の費用を支払うさいに消費税額を負担しているため、これを考慮し、報酬額に4%を「仕入れにかかる消費税相当額」として上乗せすることができます。

② 売買・交換の媒介・代理における報酬限度額

I 報酬基本額

宅建業者が売買・交換の媒介・代理をしたときに受け取ることができる報酬限度額は、下記の基本公式によって求めた額（報酬基本額）をもとにして計算します。

チェック

報酬基本額（税抜き価額）

基本公式

代金額※	報酬の限度額
1 200万円以下	代金額※ × 5%
2 200万円超～400万円以下	代金額※ × 4% + 2万円
3 400万円超	代金額※ × 3% + 6万円

※ 代金額とは？

売買の場合…売買の代金額から消費税額を除いた価額（税抜き価額）

交換の場合…交換の評価額から消費税額を除いた価額（税抜き価額）

交換する2つの物件の価額に差がある場合は…

→いずれか高い価額

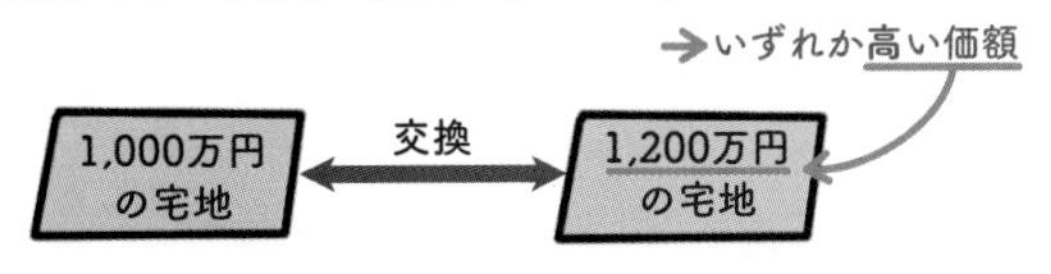

たとえば、宅建業者A（課税業者）が2,200万円（消費税相当額を含む）の建物の売買の媒介をした場合は…

① 税抜き価額：2,200万円÷1.1＝2,000万円

② 報酬限度額（税抜き）：2,000万円×3%＋6万円＝66万円

たとえば、宅建業者A（課税業者）が2,200万円の土地の売買の媒介をした場合は…

非課税取引→2,200万円は税抜き価額

① 土地の価額：2,200万円

② 報酬限度額（税抜き）：2,200万円×３％＋６万円＝72万円

より

Ⅱ 売買・交換の媒介の報酬限度額

売買・交換の媒介において、依頼者の一方から受け取れる報酬限度額は、原則として、基本公式で求めた金額（プラス消費税相当額）となります。

なお、宅建業者が買主と売主の両方から媒介の依頼を受けた場合には、買主と売主の双方から報酬を受け取ることができます。

チェック

売買・交換の媒介の報酬限度額

売買・交換の媒介の報酬限度額（依頼者の一方から受け取れる金額）＝ 基本公式 の額 × { 1.1（課税業者の場合） または 1.04（免税業者の場合） }

宅建業者A（課税業者）が売主甲と買主乙の双方から媒介の依頼を受け、甲の所有する土地3,000万円と建物2,200万円（消費税相当額を含む）の売買契約を成立させた場合は…

→土地の売買は非課税取引
→3,000万円は税抜き価額

売主 甲
買主 乙
売買契約
媒介
媒介
宅建業者A

■依頼者の一方から受け取れる報酬限度額■

① 土地：3,000万円

建物（税抜き）：2,200万円÷1.1＝2,000万円

合計（税抜き）：5,000万円

② 基本公式の額：5,000万円×３％＋６万円＝156万円

③ 報酬限度額（税込み）：156万円×1.1＝171万6,000円

■宅建業者Ａが受け取れる報酬限度額の合計■

171万6,000円（甲から）＋171万6,000円（乙から）＝343万2,000円

Ⅲ 売買・交換の代理の報酬限度額

売買・交換の代理において、宅建業者が受け取れる報酬限度額は、原則として、基本公式で求めた金額の２倍（プラス消費税相当額）となります。

チェック

売買・交換の代理の報酬限度額

売買・交換の代理の報酬限度額 ＝  基本公式の額 ×２× { 1.1（課税業者の場合） または 1.04（免税業者の場合） }

宅建業者Ａ（課税業者）が売主甲から土地3,000万円と建物2,200万円（消費税相当額を含む）の売買の代理を依頼され、買主乙との間で契約を成立させた場合は…

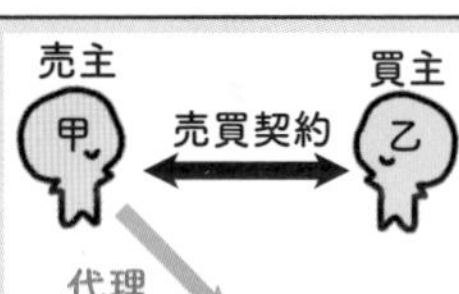

① 土地：3,000万円
建物（税抜き）：2,200万円÷1.1＝2,000万円
合計（税抜き）：5,000万円

② 基本公式の額：5,000万円×３％＋６万円＝156万円

③ 報酬限度額（税抜き）：156万円×２＝312万円

④ 報酬限度額（税込み）：312万円×1.1＝343万2,000円

③ 貸借の媒介・代理における報酬限度額

Ⅰ 貸借の媒介の報酬限度額

貸借の媒介において、依頼者の双方から受け取れる報酬の合計限度額は、原則として、**1カ月分の借賃**（プラス消費税相当額）となります。

チェック

貸借の媒介の報酬限度額（原則）

貸借の媒介の報酬限度額（貸主・借主から受け取れる合計額）＝ **1**カ月分の借賃 × { 1.1（課税業者の場合） または 1.04（免税業者の場合） }

☆ 合計して1カ月分ならば、借主・貸主からいくらずつ受け取るかは原則として自由であるが、居住用建物の媒介の場合には下記の**特例**がある

居住用建物の特例 ← 居住用の建物の場合のみ。事業用はこの特例はない 土地の貸借もこの特例はない

☆ 報酬額について、媒介の依頼を受けるときに依頼者の承諾を得ていない場合、依頼者の一方から受け取れる報酬額は$\frac{1}{2}$カ月分が上限となる

Ⅱ 貸借の代理の報酬限度額

貸借の代理において、宅建業者が依頼者から受け取れる報酬限度額は、原則として、**1カ月分の借賃**（プラス消費税相当額）となります。

Ⅲ 権利金の授受がある場合

権利金とは、権利設定の対価として支払われる金銭で、返還されないものをいいます。居住用建物以外（宅地、事業用建物等）の賃貸借契約において、権利金の授受がある場合、権利金を売買代金とみなして報酬額を計算することができます。

監督・罰則

★SECTION10はこんな話★

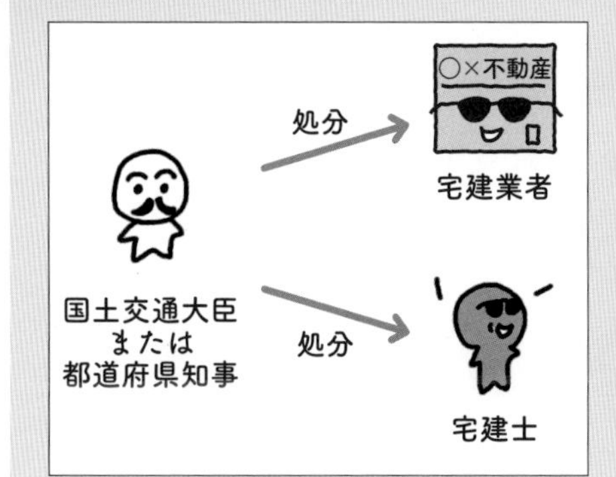

監督処分には、宅建業者に対するものと宅建士に対するものがあります。
また、重大な宅建業法違反の場合には罰則の適用もあります。

これまでのSECTIONで出てきた
内容がある程度わかってから、
勉強するのがおすすめです！

1 宅建業者に対する監督処分

I 監督処分の種類

宅建業者に対する監督処分には、処分が軽い順に、指示処分、業務停止処分、免許取消処分の３つがあります。

チェック

宅建業者に対する監督処分の種類

軽 指示処分 → 業務停止処分 → 免許取消処分 重

II 指示処分の内容

1 対象事由

国土交通大臣または都道府県知事は、宅建業者が一定の対象事由に該当する場合、宅建業者に対して必要な指示をすることができます。

2 処分権者

指示処分は、免許権者（その宅建業者に免許を与えた国土交通大臣または都道府県知事）のほか、宅建業者が処分の対象となる行為を行った都道府県の知事も行うことができます。

Q H19－問36②

宅地建物取引業者A（甲県知事免許）が、乙県内で行う建物の売買に関し、取引の関係者に損害を与えるおそれが大であるときは、Aは、甲県知事から指示処分を受けることはあるが、乙県知事から指示処分を受けることはない。

A 指示処分は免許権者のほか、宅建業者が処分の対象となる行為を行った都道府県の知事（乙県知事）も行うことができる。 ×

Ⅲ 業務停止処分の内容

1 対象事由

国土交通大臣または都道府県知事は、宅建業者に対して**1年以内**の期間を定めて、その業務の全部または一部の停止を命ずることができます。

2 処分権者

業務停止処分は、免許権者（その宅建業者に免許を与えた国土交通大臣または都道府県知事）のほか、宅建業者が処分の対象となる行為を行った都道府県の知事も行うことができます（ただし、一定の業務停止処分ができるのは免許権者に限られます）。

Ⅳ 免許取消処分の内容

1 対象事由

国土交通大臣または都道府県知事は、宅建業者が必要的取消事由に該当する場合には、その宅建業者の免許を取り消さなければなりません。

宅建業者が任意的取消事由に該当するときは、必ずしも免許を取り消す必要はありません。

2 処分権者

免許取消処分は、免許権者（その宅建業者に免許を与えた国土交通大臣または都道府県知事）のみ行うことができます。

Ⅴ その他

1 指導等

国土交通大臣は、すべての宅建業者に対して、必要な指導、助言、勧告（かんこく）を行うことができます。

また、都道府県知事は、当該都道府県内において宅建業を営む宅建業者に対して、必要な指導、助言、勧告を行うことができます。

2 内閣総理大臣との協議

国土交通大臣が宅建業者に対して一定の監督処分をしようとするときは、あらかじめ内閣総理大臣と協議しなければなりません。

② 宅建士に対する監督処分

Ⅰ 監督処分の種類

宅建士に対する監督処分には、処分が軽い順に、指示処分、事務禁止処分、登録消除(しょうじょ)処分の３つがあります。

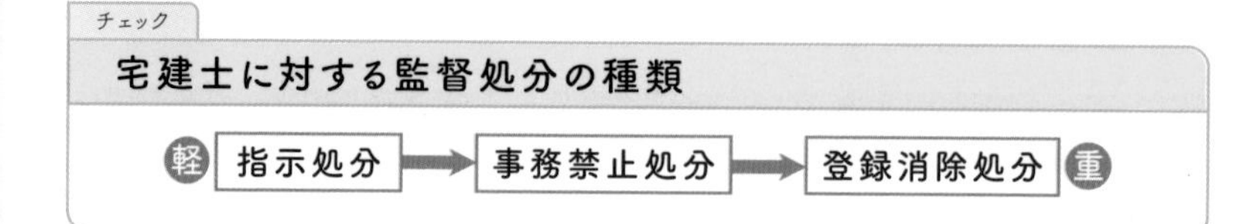

Ⅱ 指示処分の内容

1 対象事由

都道府県知事は、宅建士が一定の対象事由に該当する場合、宅建士に対して必要な指示をすることができます。

2 処分権者

指示処分は、登録をしている都道府県知事のほか、宅建士が処分の対象となる行為を行った都道府県の知事も行うことができます。

Ⅲ 事務禁止処分の内容

1 対象事由

都道府県知事は、宅建士が一定の対象事由に該当する場合、宅建士に対して**１年以内**の期間を定めて、宅建士としてすべき事務の全部または一部を禁止することができます。

2 処分権者

事務禁止処分は、登録をしている都道府県知事のほか、宅建士が処分の対象となる行為を行った都道府県の知事も行うことができます。

指示処分の場合と同じです。

IV 登録消除処分の内容

1 対象事由

都道府県知事は、宅建士が一定の対象事由に該当する場合、その宅建士の登録を消除しなければなりません。

また、都道府県知事は、宅建士の登録は受けているが、宅建士証の交付を受けていない者が一定の対象事由に該当する場合にも、その登録を消除しなければなりません。

2 処分権者

登録消除処分は、登録をした都道府県知事のみ行うことができます。

③ 罰則

重大な宅建業法違反の場合、違反した者は罰金刑や懲役刑、過料（宅建士に対する罰則）に処せられます。

住宅瑕疵担保履行法

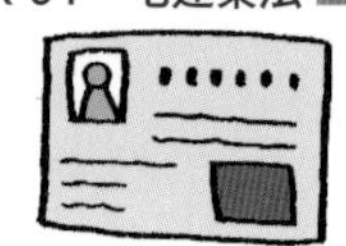

★SECTION11はこんな話★

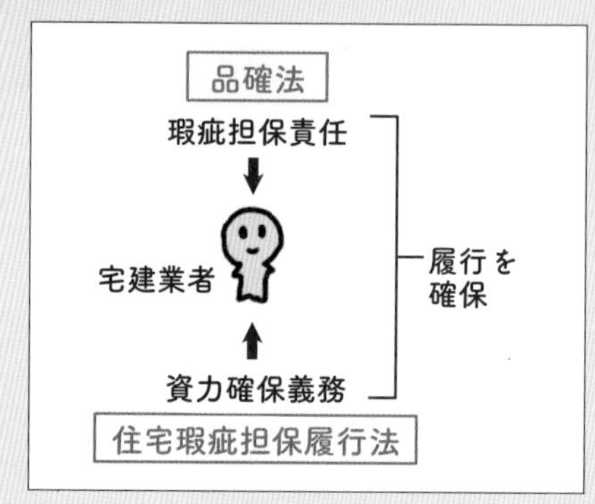

住宅の品質確保の促進等に関する法律（品確法）は、新築住宅の売主に、10年間の瑕疵担保責任を課していますが、売主に十分な資力がないと、瑕疵担保責任が履行されず、買主の保護は図れません。そこで、品確法による瑕疵担保責任の履行を確保するため、特定住宅瑕疵担保責任の履行の確保等に関する法律（住宅瑕疵担保履行法）は、売主（宅建業者）に資力確保義務を課しています。

新築住宅とは、新たに建築された住宅で、人の居住の用に供されたことがないもの（建設工事完了の日から１年を経過したものを除く）をいいます。
また、瑕疵とは、種類または品質に関して契約の内容に適合しない状態をいいます。
宅建業法の内容ではありませんが、超頻出の分野です！

① 資力確保措置が義務付けられる者

宅建業者が売主となり、宅建業者以外の者（買主）に新築住宅を引き渡す場合、資力確保措置が義務付けられます。

H22－問45①

宅地建物取引業者は、自ら売主として宅地建物取引業者である買主との間で新築住宅の売買契約を締結し、当該住宅を引き渡す場合、資力確保措置を講ずる義務を負う。

買主が宅建業者である場合には、資力確保措置を講ずる義務はない。

② 資力確保措置の方法

資力確保措置の方法には、保証金の供託（住宅販売瑕疵担保保証金の供託）と保険への加入（住宅販売瑕疵担保責任保険契約の締結）の２つがあります。

③ 資力確保措置の状況に関する届出等

新築住宅を引き渡した宅建業者は、基準日ごとに、免許権者に対して、資力確保措置の状況について届出を行わなければなりません。

チェック

資力確保措置の状況に関する届出等のポイント

新築住宅を引き渡した宅建業者は、基準日ごと（毎年3月31日）に、保証金の供託および保険契約の締結の状況について免許権者に届け出なければならない

ポイント

届出先は？

免許権者

届け出の期限は？

基準日から3週間以内

届け出をしなかったら？

基準日の翌日から50日を経過した日以後は、新たに自ら売主となる新築住宅の売買契約を締結してはならない

Q　H24－問45①

自ら売主として新築住宅を宅地建物取引業者でない買主に引き渡した宅地建物取引業者は、当該住宅を引き渡した日から3週間以内に、その住宅に関する資力確保措置の状況について、その免許を受けた国土交通大臣又は都道府県知事に届け出なければならない。

A　「住宅を引き渡した日から3週間以内」ではなく、「基準日から3週間以内」である。　×

4 供託所の所在地等の説明

新築住宅の売主である宅建業者が、保証金（住宅販売瑕疵担保保証金）の供託をしている場合には、売買契約を締結するまでに、買主（宅建業者を除く）に対して、供託所の名称や所在地等を書面を交付して説明しなければなりません。

また、宅建業者は、書面の交付に代えて、買主の承諾を得て、電磁的方法により提供することもできます。

Q H25－問45③改

A（自ら新築住宅の売主となる宅建業者）は、住宅販売瑕疵担保保証金の供託をする場合、B（宅建業者ではない買主）に対する供託所の所在地等について記載した書面の交付（買主の承諾を得て電磁的方法により提供する場合を含む）及び説明を、Bに新築住宅を引き渡すまでに行えばよい。

A 「新築住宅を引き渡すまで」ではなく、「売買契約を締結するまで」である。 ×

入門講義編

CHAPTER 02

権利関係

制限行為能力者

★SECTION01はこんな話★

物事の判断をできない人が食い物にされることがあってはいけません。たとえば、9歳の子どもに高額な車を売りつけたような場合、それをナシにできないと問題ですよね。そこで、民法は一定の人の能力を事前に制限し、制限以上のことをしたら、それをナシにできるようにしています。

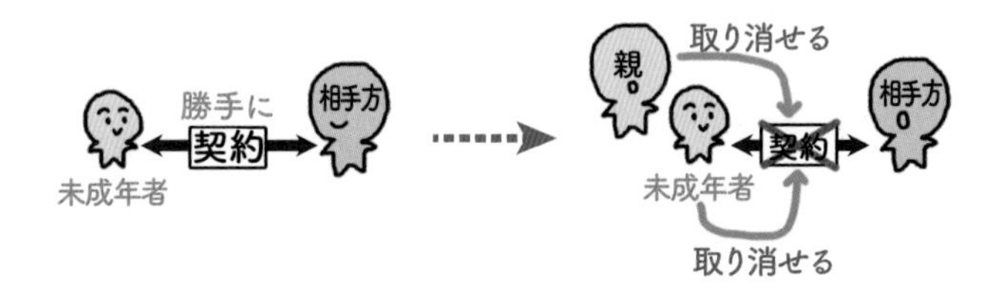

民法は、こうした人たちに強い権限のある保護者を付して、
十分な判断能力なしに法律行為がされるのを防いでいます。

1 制限行為能力者の種類

I 制限行為能力者とは

制限行為能力者（せいげんこうい のうりょくしゃ）とは、判断能力が不十分であるため、単独で、有効な法律行為を行うことができる能力（行為能力）を制限された人をいいます。

II 制限行為能力者の種類

制限行為能力者には、未成年者（みせいねんしゃ）、成年被後見人（せいねんひこうけんにん）、被保佐人（ひほさにん）、被補助人（ひほじょにん）の4種類があります。

チェック

制限行為能力者の種類

1 未成年者

18歳未満の者

保護者 親権者（←親）・未成年後見人

「被」がつく人が保護される人

2 成年被後見人 ← ほとんど判断できない人

精神上の障害により、事理を弁識する能力を欠く常況にある者で、家庭裁判所の後見開始の審判を受けた者

保護者 成年後見人

3 被保佐人 ←「簡単なことの判断は自分でできる」という人

精神上の障害により、事理を弁識する能力が著しく不十分である者で、家庭裁判所の保佐開始の審判を受けた者

保護者 保佐人

4 被補助人 ←「だいたいのことの判断は自分でできるけど…」という人

精神上の障害により、事理を弁識する能力が不十分である者で、家庭裁判所の補助開始の審判を受けた者

保護者 補助人

② 制限行為能力者の保護

I 未成年者の保護

未成年者が単独で法律行為をするときには、法定代理人（保護者＝親権者や未成年後見人）の同意が必要です。また、法定代理人が未成年者を代理して法律行為をすることもできます。

ひとこと

未成年者の保護者のように、法律により代理権を有するとされた者を法定代理人といいます。

そして、未成年者が法定代理人の同意を得ずに単独で行った行為は、原則として取り消すことができます。

チェック

未成年者の保護

原則

未成年者が法定代理人の同意を得ないで行った行為は取り消すことができる

（…とは？）法律により代理権を有するとされた者（未成年者の場合には親権者など）

ポイント

- ✓ 本人（未成年者）、法定代理人のいずれも取り消せる
- ✓ 取消しは、第三者（善意・悪意を問わない）に対して対抗できる

法律用語

取消し… 取り消すまでは契約は有効であるが、取り消されると最初に（契約時点に）戻って無効となる

善　意… 知らないこと
未成年者であることを知らずに取引した人→善意の相手方

悪　意… 知っていること
未成年者であることを知っていて取引した人→悪意の相手方

対抗（する）… 自己の権利を主張すること

Ⅱ 成年被後見人の保護

成年被後見人の財産上の行為は、原則として成年後見人（法定代理人）が代理して行います。

ひとこと

成年被後見人は、「ほとんど判断できない人」なので、成年後見人が「同意」してもそのとおりに行動しない可能性が高いため、「同意」ではなく、「代理」としているのです。

成年被後見人が、成年後見人の代理によらずに行った行為は、原則として取り消すことができます。

Ⅲ 被保佐人の保護

被保佐人が重要な財産上の行為を行うには、保佐人の同意（またはこれに代わる家庭裁判所の許可）が必要です。

被保佐人が、保佐人の同意なし（またはこれに代わる家庭裁判所の許可なし）に行った重要な財産上の行為は、取り消すことができます。

チェック

被保佐人の保護

原則

被保佐人は、保佐人の同意がなくても有効な契約を結べる

→ある程度、判断能力がある人だから

例外

重要な財産上の行為を保佐人の同意なしに行った場合には、取り消すことができる

重要な財産上の行為(例)

① 借金をしたり、保証人になること
② 不動産、その他重要な財産の売買をすること
③ 新築、改築、増築、大修繕をすること
④ 長期賃貸借をすること　など

→土地の場合：5年超
　建物の場合：3年超

Ⅳ 被補助人の保護

被補助人が家庭裁判所の審判で定めた特定の法律行為を行うときには、補助人の同意（またはこれに代わる家庭裁判所の許可）が必要です。

被補助人が、補助人の同意が必要な行為を、補助人の同意なし（またはこれに代わる家庭裁判所の許可なし）に行った場合は、その行為を取り消すことができます。

③ 制限行為能力者の相手方の保護

制限行為能力者と取引をした場合、取引の相手方は、いつ取り消されてしまうかわからない状況におかれてしまいます。

そこで、次のような、制限行為能力者の相手方を保護する制度が用意されています。

チェック

制限行為能力者の相手方の保護

1 制限行為能力者の詐術（さじゅつ）

制限行為能力者が、「自分は行為能力者である」と信じさせるために詐術を用いたときは、取り消すことはできなくなる

…とは？ ウソをつくこと

ウソをつくような人を保護する必要はない！

2 催告権

制限行為能力者と取引をした相手方は、1カ月以上の期間を定めて、追認（ついにん）するかどうかを催告することができる

法律用語

追認…取消し可能な行為等を、事後的に認めて確定させること
催告…相手方に対して、一定のことを行うように催促すること

Q H20－問1④

被保佐人が、保佐人の同意又はこれに代わる家庭裁判所の許可を得ないでした土地の売却は、被保佐人が行為能力者であることを相手方に信じさせるため詐術を用いたときであっても、取り消すことができる。

A 制限行為能力者が詐術を用いて、行為能力者であることを相手方に信じさせたときは、取り消すことはできなくなる。 ×

意思表示

★SECTION02はこんな話★

契約というのは強力な制度で、物を売ったのにお金を支払ってもらえないとなれば、裁判所に駆け込んで、裁判に勝てば、強制的に取り立てることもできます。しかし、どんな契約にも強制力が認められてしまうのでは問題ですよね。「こんな契約するつもりなかった」とか「相手のせいでこんな契約をしてしまった」とか言える場合には、ナシにできないといけません。

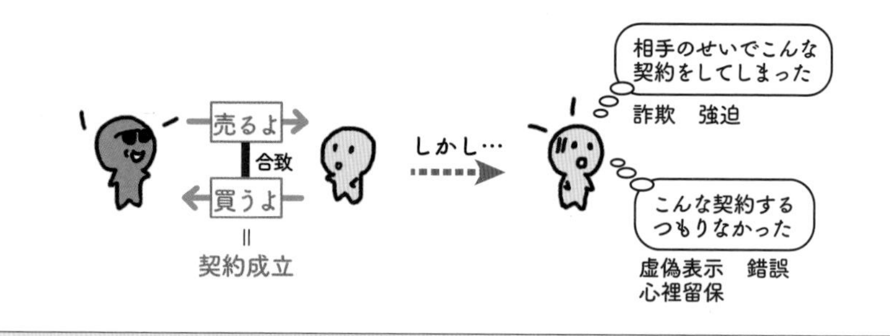

このSECTIONでは、「取消し」か「無効」かの区別が重要です。
取消しは、取消しがされるまでは契約が有効なまま存続します。

1 意思表示とは

意思表示とは、自分の意思を相手に対して表すことをいいます。

契約は、原則として申込みと承諾（しょうだく）の２つの意思表示が合致して成立します。

ひとこと

たとえば、買主が「この土地を買いたい」と申込みの意思表示をし、売主が「では、売りましょう」と承諾の意思表示をすることによって、売買契約が成立します。

意思表示は、その通知が相手方に到達した時から効力が生じます。

ただし、相手方が正当な理由なく、通知が到達することを妨げたときは、その通知は、通常到達すべきであった時に到達したものとします。

なお、意思を表示した者が死亡した場合でも原則としてその効力は有効となります。

チェック

意思表示の効力発生時期等

原則

その通知が相手に到達した時から効力が生じる

→ たとえば ポストに投函されるなど

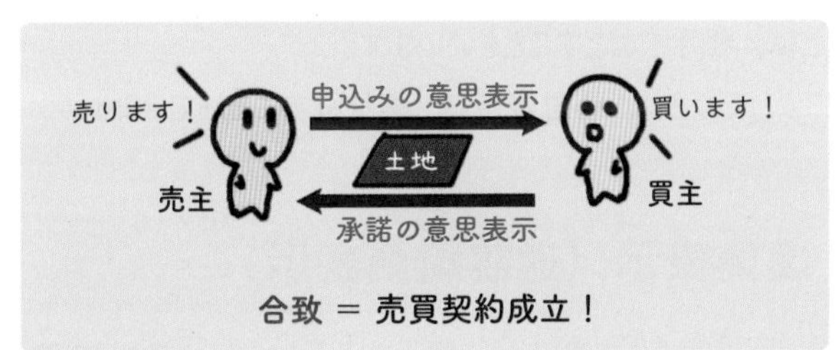

例外

相手方が正当な理由なく、通知が到達することを妨げたときは、その通知は、通常到達すべきであった時に到達したものとみなす

表意者が通知を発した後に死亡等した場合

以下の場合でも、原則としてその効力は失われない

→ ① 死亡する
② 意思能力を喪失する
③ 行為能力の制限を受ける

しかし、だまされて契約してしまった場合（詐欺）や、おどされて契約してしまった場合（強迫）、ウソの意思表示で契約をした場合（虚偽表示、心裡留保）などもあります。

ここでは、このような場合における契約の有効性についてみていきます。

② 詐　欺

詐欺とは、相手をだまして、勘違いさせることをいいます。

詐欺によってなされた意思表示は、原則として取り消すことができます。

③ 強　迫

強迫とは、相手をおどすことをいいます。

強迫によってなされた意思表示は、取り消すことができます。

④ 虚偽表示（通謀虚偽表示）

虚偽表示（通謀虚偽表示）とは、相手方と示し合わせてウソの意思表示をすることをいいます。

ひとこと

虚偽表示の例としては、多額の借金をかかえたAさんが、債権者による土地の差押えを免れるために、Bさんとグルになって、その土地をBさんに売ったように見せかける場合などがあります。

Aさん：「土地を売ったことにしておくれ」←実際には売る気はない
Bさん：「よし、買った（ことにしよう）！」←実際には買う気はない

虚偽表示による意思表示は、当事者間では**無効**となります。

ただし、その無効を善意の第三者に対抗することはできません。

⑤ 錯誤

錯誤(さくご)とは、勘違いで意思表示をすることをいいます。

次の錯誤による意思表示をした場合、その錯誤が法律行為の目的および取引上の社会通念に照らして重要なもの（**要素の錯誤**）であるときは、取り消すことができます。

取消しの対象となりうる錯誤

❶　意思表示に対応する意思を欠く錯誤（表示の錯誤）

❷　表意者が法律行為の基礎とした事情についてその認識が真実に反する錯誤（動機の錯誤）

※動機の錯誤による取消しが認められるためには、少なくとも、動機となった事情が法律行為の基礎とされていることが表示されている必要があります。

ひとこと

たとえば、甲土地を売るつもり【意思】であったが、勘違いして「乙土地を売る」といってしまった【表示】という場合、甲土地と乙土地は全く異なるものであるため、その錯誤は法律行為の目的および社会通念に照らして重要なものである（要素の錯誤がある）ことになります。したがって、この契約は取り消すことができます。

ただし、表意者に重大な過失がある場合には、原則として、取り消すことはできません。

⑥ 心裡留保

心裡留保(しんりりゅうほ)とは、表意者が本心ではないことを自分で知っていて意思表示をすること（冗談を言ったり、ウソをつくこと）をいいます。

心裡留保による意思表示は、原則として**有効**となります。

代　理

★SECTION03はこんな話★

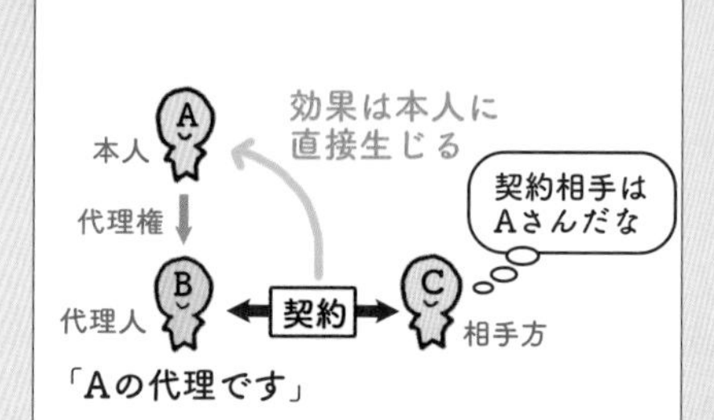

SECTION 01では、成年被後見人は、原則、成年後見人に代理してもらわないといけないということを勉強しましたね。自分では有効な法律行為を行えない人は、弁え（わきまえ）のある人に「代わりに」やってもらうことが必要です。また、行為能力に制限がない人でも、誰かに代わりを頼みたい場面がありますよね。

何かをできない人に代わったり、できるけど任せたい人に代わったりすることで、法律関係の適切な形成が図られるのです。

1 代理の基本

I 代理とは

代理とは、本人に代わって契約の締結等をすることをいいます。

II 代理行為の効果

代理人が行った行為の効果は、直接本人に生じます。

III 代理人が制限行為能力者であることを理由とする取消し

未成年者等の制限行為能力者であっても、本人はこれらの人を代理人とすることができますが、本人は、代理人が制限行為能力者であることを理由に代理人の行為を取り消すことは原則としてできません。

しかし、制限行為能力者が他の制限行為能力者の法定代理人としてした行為については、一定の要件を満たしていれば取り消すことができます。

ひとこと

本人が代理人を選ぶ場合には、制限行為能力者を選任した本人が責任を負えばよいのですが、仮に、親が制限行為能力者である場合、その代理行為の責任を未成年者である子供に負わせるのはかわいそうですよね…

Q H24－問2①改

未成年者が委任による代理人となって締結した契約の効果は、当該行為を行うにつき当該未成年者の法定代理人による同意がなければ、有効に本人に帰属しない。

A 未成年者も代理人となることはできるので、未成年者が代理人となってした契約の効果は本人に帰属する。 ×

IV 代理権の消滅

代理権は、次の場合に消滅します。

チェック

代理権の消滅

委任等の契約にもとづいて、本人が代理権を与えることによってはじまる代理 → 任意代理

民法の規定にもとづいてはじまる代理（本人の意思によらずに発生） → 法定代理

	任意代理	法定代理
本　人	☆ 死亡 ☆ 破産手続開始の決定 （破産したら、代理人にお金を払えないから…）	☆ 死亡
代理人	☆ 死亡 ☆ 破産手続開始の決定 （自分のお金の管理もできない人には任せられないよね…） ☆ 後見開始の審判 （事理弁識能力が欠けている人には任せられないよね…）	

2 代理権の濫用、自己契約・双方代理

Ⅰ 代理権の濫用

代理権の濫用とは、代理人が自己または第三者の利益を図る目的で代理権の範囲内の行為をすることをいいます。

代理権を濫用した代理行為の効果は、原則として本人に帰属します。

Ⅱ 自己契約・双方代理

自己契約とは、代理人が自ら契約の相手方となって、本人と契約をすることをいいます。また、双方代理とは、同じ人が契約の両当事者の代理人となることをいいます。

自己契約・双方代理は原則として無権代理人がした行為とみなします。

③ 復代理

復代理とは、代理人が自分に与えられた権限の範囲内の行為を行わせるために、さらに代理人を選ぶことをいいます。

復代理人を選ぶのは代理人ですが、復代理人の行った行為の効果は本人に帰属します。

なお、復代理人を選任しても、代理人の代理権は消滅しません。

④ 無権代理

I 無権代理とは

無権代理とは、代理権がないのに、代理人として行った行為をいいます。

また、無権代理行為を行った者を**無権代理人**といいます。

II 無権代理行為の効果

無権代理人が行った契約の効果は、原則として本人に生じません。

ひとこと

本人の知らないところで代理行為が行われたのに、その効果が本人に生じたら本人はたまりません。そのため、無権代理人が行った契約の効果は、原則として本人に生じないのです。

ただし、本人が追認した場合には、契約の時にさかのぼって有効な代理行為があったことになります。

チェック

無権代理行為の効果

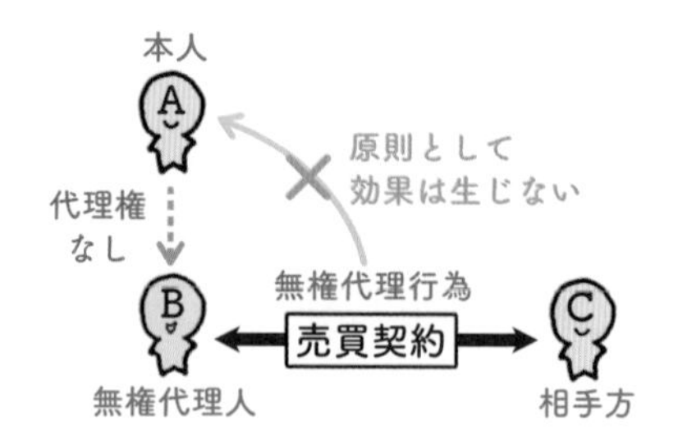

原 則

契約の効果は本人に対して生じない

例 外

本人が追認した場合は、契約時にさかのぼって有効な代理行為となる

✓ 追認は無権代理人に対して行ってもよいし、相手方に対して行ってもよい

III 無権代理の相手方の保護

無権代理人と契約を行った相手方を保護するため、相手方には次の権利が認められています。

ひとこと

「契約をしたけど、無権代理人だったから、その契約の効果は本人に対して生じない」となったら、こんどは契約の相手方がたまりません。そこで、相手方を保護するためにいくつかの権利が認められているのです。

チェック

無権代理の相手方の保護

1 催 告 権

善意も悪意もOK

無権代理人と契約した相手方は、本人に対して、「追認するかどうかを確答して」と催告することができる

2 取 消 権

善意ならOK

無権代理人と契約した善意の相手方は、本人が追認しない間は、契約を取り消すことができる

→ 悪意の場合は×

3 無権代理人に対する責任追及権

以下の場合には、相手方は無権代理人に対して、契約の履行または損害賠償の請求をすることができる

→ 無権代理人に代理権がないことについて
① 相手方が善意無過失の場合
② 相手方が善意有過失だが、無権代理人が悪意の場合

時　効

★SECTION04はこんな話★

「時効」と聞くと、罪に問われなくなるというイメージがあるかも知れませんが、民法においての時効は少し異なります。一定期間が経過すると、他人に有していた権利が消滅したり、自分の物が他人の物になったり･･･気を抜くと怖い結果が生じかねないこの制度について見ていきます。

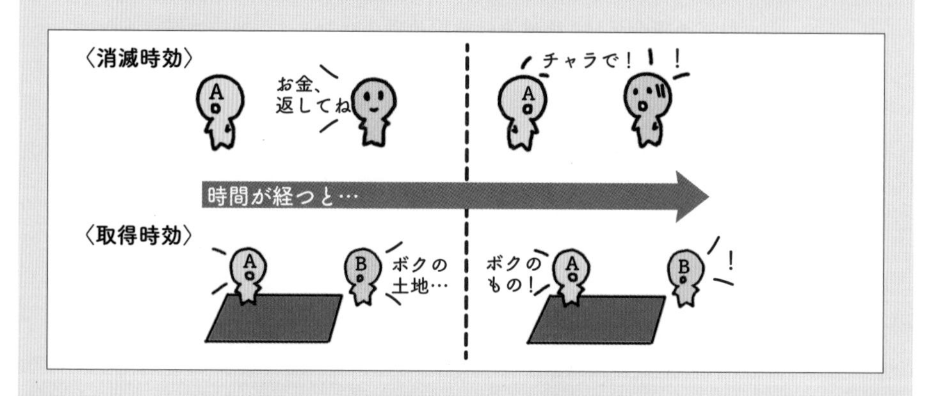

ここでは、取得時効と消滅時効が出てきます。
「いつから」「どれくらいの期間で」生じるかは共通の問題です。

① 時効とは

時効とは、ある状態が一定期間続いた場合に、権利を取得したり（取得時効（しゅとくじこう））、権利が消滅する（消滅時効（しょうめつじこう））といった効果を認めることをいいます。

② 取得時効

取得時効とは、ある状態が一定期間続いた場合に、権利を取得できる制度をいいます。

I 所有権の取得時効が完成するための要件

所有権の取得時効が完成するための要件は、次のとおりです。

チェック

所有権の取得時効が完成するための要件

下記の期間、所有の意思をもって、平穏かつ公然に他人のものを占有すれば、その所有権を取得することができる＝自分のものになる

占有の開始時に
- 善意 & 無過失 であった場合…10年間
- 善意 & 有過失 であった場合…20年間
- 悪意 であった場合………………20年間

法律用語

占有…物を、自分のものとして、事実上支配すること。
自主占有と他主占有がある

自主占有…所有の意思がある占有
（例：土地の買主が土地を占有している場合など）

他主占有…所有の意思のない占有
（例：賃貸アパートの一室を借主が占有している場合など）

所有権の取得時効の要件である「占有」は「自主占有」

Ⅱ 占有の承継

売買や相続があった場合、占有は承継されます。なお、前の占有者の占有期間を合計する（承継する）場合には、前占有者の善意・悪意も承継します。

③ 消滅時効

消滅時効とは、一定期間、権利を行使しないと、その権利が消滅する制度をいいます。消滅時効のポイントは次のとおりです。

チェック

消滅時効のポイント

消滅時効の期間・起算点（時効の期間がスタートする点）

以下の期間、権利を行使しなかったら、その権利は消滅する

1 通常の債権

① 主観的起算点
…債権者が権利を行使することができることを知った時から5年
② 客観的起算点
…権利を行使することができる時から10年

2 債権または所有権以外の財産権

権利を行使することができる時から20年
☆地上権、永小作権、地役権など

3 人の生命または身体の侵害による損害賠償請求権

① 主観的起算点
…債権者が権利を行使することができることを知った時から5年
② 客観的起算点
…権利を行使することができる時から20年
☆不法行為による損害賠償請求権
①主観的起算点…被害者またはその法定代理人が損害および加害者を知った時から3年（人の生命・身体を害する不法行為の場合は5年）
②客観的起算点…不法行為の時から20年

4 確定判決または確定判決と同一の効力を有するものによって確定した権利

10年より短い時効期間の定めがあるものであっても10年
☆確定の時に弁済期の到来していない債権は除く

ポイント

✓ 所有権は消滅時効にかからない！

権利を行使することができる時（客観的起算点）とは

いつから消滅時効がスタートするのか？

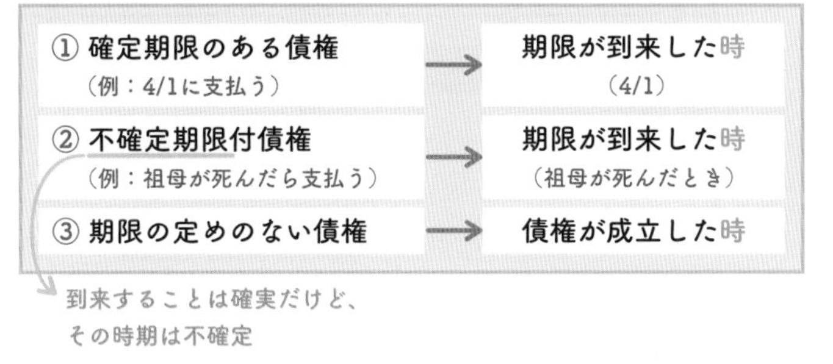

4 時効の完成猶予・更新

時効の完成猶予（ゆうよ）とは、一定の期間が経過するまで時効の完成が猶予されることをいいます。猶予事由が発生しても時効期間の進行自体は止まりませんが、本来の時効期間の満了時期を過ぎても、一定の期間が経過するまでは時効は完成しません。

時効の更新とは、更新事由の発生によって進行していた時効期間の経過が無意味になり、新たにゼロから進行がスタートすることをいいます。

完成猶予事由や更新事由はいくつかありますが、ここでは裁判上の請求の場合について見ておきましょう。

チェック

裁判上の請求の場合の時効の完成猶予・更新

【完成猶予】

☆ 原則として事由が終了するまでの間は時効は完成しない

☆ 確定判決または確定判決と同一の効力を有するものにより、権利が確定することなくその事由が終了した場合、その終了の時から6カ月を経過するまで時効は完成しない

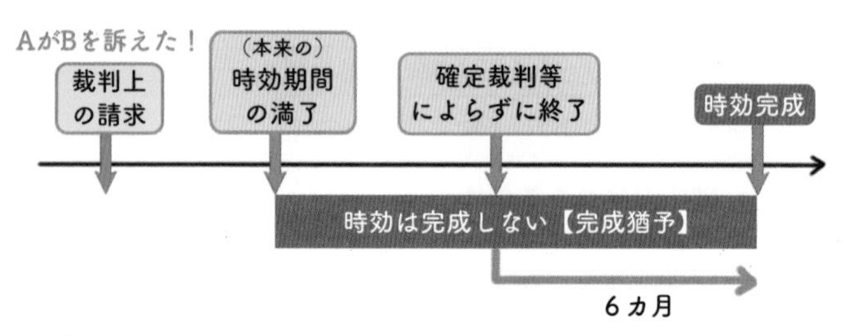

【更新】

確定判決または確定判決と同一の効力を有するものによって権利が確定したときは、時効はその事由が終了した時から新たにその進行を始める

たとえば 裁判上の和解

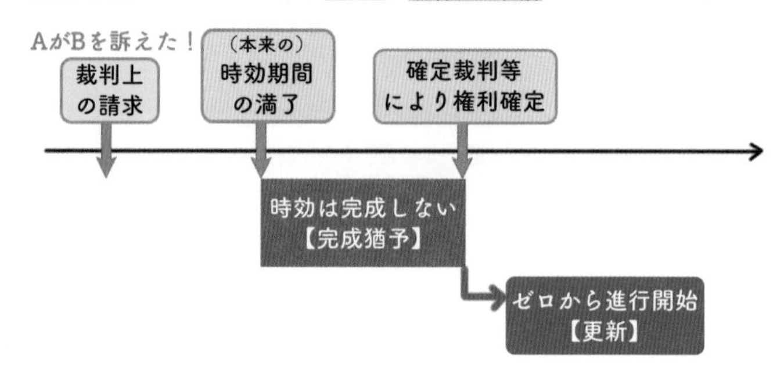

⑤ 時効の効力・援用・利益の放棄

I 時効の効力

時効の効力は、その起算日（時効の期間がスタートする日）にさかのぼって発生します。

悪意のBが、平穏かつ公然にAの甲土地を20年間、占有した結果、取得時効が完成した場合、Bは20年前にさかのぼって、甲土地の所有者であったことになります。

II 時効の援用

援用（えんよう）とは、時効の利益を受ける人が、時効の利益を受ける旨の意思表示をすることをいいます。

時効が完成しても、援用（主張）しなければ、時効の効力は生じません。

III 時効の利益の放棄

時効の利益は、あらかじめ放棄することはできません。

なお、時効の完成後であれば、時効の利益を放棄することができます。

ひとこと

たとえば、債務者が「私は時効が完成しても（借金を払わなくてもよい状態になっても）、借金を払いますよ」ということができてしまうと、契約時に、債権者から時効の利益を放棄する内容の契約を迫られ、事実上、時効制度が意味のないものになってしまいます。そのため、時効完成前は時効の利益を放棄することができないのです。

SECTION 05 債務不履行

★SECTION05はこんな話★

債務と聞くと借金を連想する方もいるかと思います。民法での債務の意味はもう少し広く、誰かに何かをする義務のことをいいます。たとえば、不動産の売買契約では、買主は、代金を支払う「債務」を負う一方、売主は、不動産を引き渡す「債務」を負います。

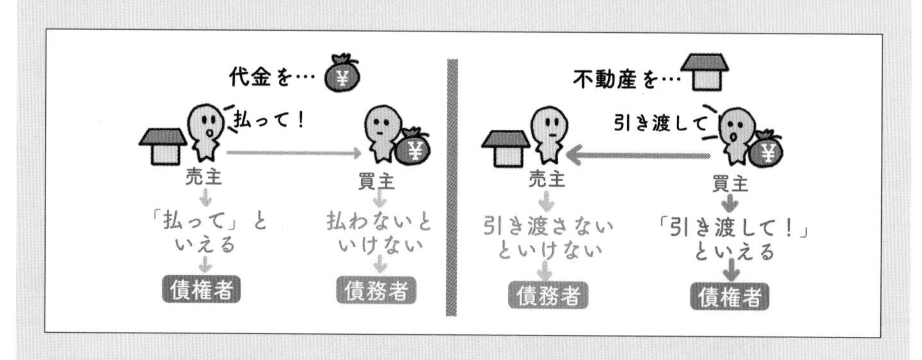

不動産の売買契約のように、当事者の双方が債務を負う契約を「双務契約」といいます。

1 債務不履行

債務不履行とは、債務者が債務の（本旨に従った）履行をしないことをいいます。

ひとこと

要するに契約違反のことです。

債務不履行には、履行遅滞（りこうちたい）（債務を履行できるにもかかわらず、決められた時期に履行しなかった）と履行不能（りこうふのう）（債務を履行することが不可能になった）があります。

2 損害賠償の請求

債務不履行（履行遅滞、履行不能）の要件を満たす場合、債権者は、債務者に対して、原則として、これによって生じた損害について、賠償を請求することができます。

I 損害賠償の原則

損害賠償は、原則として金銭によって行います。

ひとこと

特約でモノによって行うこともあります。

また、裁判所は債務不履行またはこれによる損害の発生もしくは拡大に関して債権者にも過失があった場合には、それを考慮して損害賠償の責任および損害賠償額を定めます。これを過失相殺（かしつそうさい）といいます。

II 損害賠償額の予定

損害賠償額は、契約の当事者間であらかじめ決めておくことができます。これを損害賠償額の予定といいます。

③ 契約の解除

契約の解除とは、契約が成立したあとに、当事者のうち片方（解除権者＝解除権を有する者）の一方的な意思表示で、契約の効果を消滅させ、はじめから契約がなかったものにすることをいいます。

危険負担

★SECTION06はこんな話★

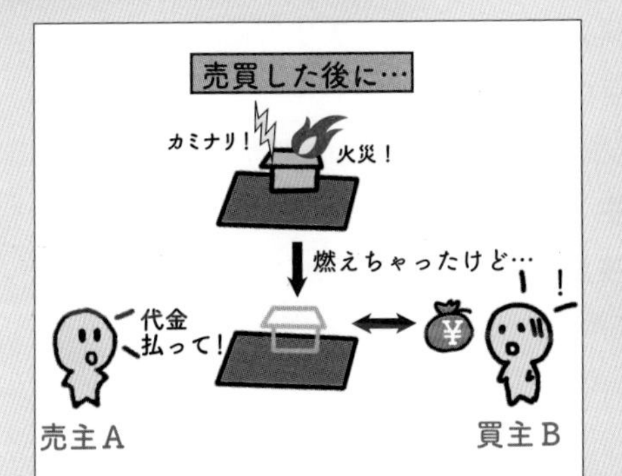

たとえば、売主（A）と買主（B）で甲建物の売買契約を締結し、契約後引渡し前に甲建物が滅失したとします。ここで、甲建物の滅失原因が、天災や第三者による放火など、売主（A）の責めに帰すべき事由によらないものだとするならば、売主（A）の債務は消滅しますが、買主（B）は債務を履行しなければならないのかが問題になります。

建物を引き渡してもらえないのに、買主は代金を
支払わないといけないのか、という話です。

前記の例で、甲建物が滅失すると、売主（A）の建物引渡債務は消滅します。

ひとこと

引き渡すべきものがなくなっているので、当然ですよね。

また、売主（A）の責めに帰すべき事由がないため、売主（A）は債務不履行による損害賠償責任を負いません。

一方、買主（B）の代金支払債務は消滅しません。しかし、天災等によって目的物が滅失した場合、代金の支払いを拒むことができます。

つまり、特定の不動産の売買契約成立後、引渡し前に、その不動産が天災や第三者による放火等、売主（A）・買主（B）双方の責めに帰することができない事由により滅失した場合には、代金支払債務は存続しますが、買主（B）は代金支払債務の履行を拒絶することができます（履行拒絶権）。

買主が代金支払債務を消滅させるためには契約の解除が必要です。

弁済、相殺、債権譲渡

★SECTION07はこんな話★

たとえば、物を売って、買主から代金を支払ってもらう権利が売主に発生したとしても、それがどんな運命をたどるかは一様ではありません。代金をお金で支払ってもらうのが基本ですが、買主が売主に同額の金銭債権を持っていれば、それでお互いチャラにできますし、また、債権を他人に譲渡することもできます。

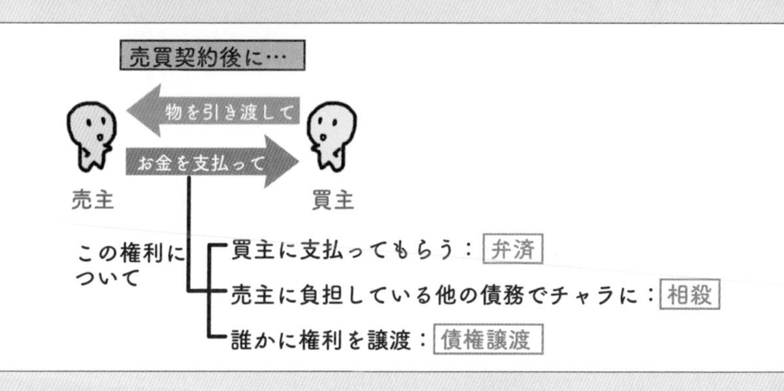

お金の支払い（弁済）を待つよりも、互いに借金を帳消しにしたり、権利を譲渡して一定の対価をもらうほうが債権者にとっても都合がよかったりします。

1 弁　済

I 弁済とは

弁済(べんさい)とは、債務者が約束どおりの給付をして、債権を消滅させることをいいます。

ひとこと

お金を借りているならお金を返すこと、不動産を売ったなら不動産を引き渡すことが弁済です。

II 第三者弁済

弁済は債務者のほか、一定の場合には第三者も行うことができます。

2 相　殺

I 相殺とは

たとえば、AがBに対して10万円を貸しており、BはAに8万円を貸している場合、AまたはBは、「10万円のうち、8万円はなかったことにしますよ」ということができます。この場合、BはAに対して差額の2万円を支払えばよいことになります。

これを**相殺**(そうさい)といいます。

II 自働債権と受働債権

相殺において、「相殺します」といった側の債権を**自働債権**(じどう)、「相殺します」といわれた側の債権を**受働債権**(じゅどう)といいます。

III 相殺できる場合

相殺を主張するためには、以下の4要件を満たしていなければなりません。

チェック

相殺できる場合（相殺適状）

1. 当事者双方がお互いに債権を有していること
2. 双方の債権が有効に成立していること
   → いずれか一方の債権が存在しない場合には相殺できない×
3. 双方の債権の目的が同種であること
   - 金銭債権 と 金銭債権 → 相殺できる○
   - 金銭債権 と 土地引渡請求権 → 相殺できない×
4. 双方の債権が弁済期にあること

ひとこと

この4要件を満たした「相殺に適した状態」のことを相殺適状（そうさいてきじょう）といいます。

③ 債権譲渡

I 債権譲渡

土地や建物等と同様に、債権も原則として、譲受人（ゆずりうけにん）と譲渡人（ゆずりわたしにん）の合意によって譲渡することができます。また、譲渡する債権は、現に発生していることを要しません。

II 譲渡制限の意思表示

譲渡を禁止・制限する特約（譲渡制限の意思表示）がある場合でも、債権譲渡は原則として有効となります。

この場合、譲受人その他の第三者が悪意または重過失であれば、債務者は、債務の履行を拒むことができ、かつ、譲渡人に対する弁済その他の債務を消滅させる事由をもってその第三者に対抗することができます。

たとえば、AがBに対して売買代金債権を有していて、当事者間で譲渡制限の意思表示がされていたとします。この債権を、AがCに譲渡した場合、Cがたとえ悪意または重過失であっても、その債権譲渡は有効となり、Cが債権者となります。しかし、Cが悪意または重過失であるときには、Bは、Cに対する債務の履行を拒否することができるのです。

また、債務者が債務を履行しない場合、譲受人その他の第三者が相当の期間を定めて譲渡人への履行を催告し、その期間内に履行がないときは、その債務者は、悪意または重過失の譲受人その他の第三者に対して履行を拒んだり、相当の期間経過時以後に生じた弁済その他の債務を消滅させる事由をもってその第三者に対抗することはできません。

III 債権譲渡を債務者に対抗するための要件

債権の譲受人が、債務者に対して債権の譲渡があったことを対抗するためには、次の要件を備えておく必要があります。

チェック

債権譲渡を債務者に対抗するための要件

債務者に対して債権（現に発生していないものを含む）の譲渡があったことを対抗するには…

以下のいずれかが必要

1. 譲渡人から債務者に対する通知
   - 口頭による通知も○
2. 債務者の承諾
   - 口頭による承諾も○
   - 承諾は譲渡人、譲受人のいずれにしても○

IV 債権譲渡を債務者以外の第三者に対抗するための要件

債権譲渡があったことを、債務者以外の第三者に対抗するためには、次の要件を備えておく必要があります。

チェック

債権譲渡を債務者以外の第三者に対抗するための要件

債務者以外の第三者に対して債権（現に発生していないものを含む）の譲渡があったことを対抗するには…

以下のいずれかが必要

❶ 確定日付のある証書による譲渡人から債務者への通知
（確定日付のある証書：内容証明郵便など）

❷ 確定日付のある証書による債務者の承諾

V 債権の譲渡における相殺権

債務者は、原則として対抗要件を具備される時より前に取得した譲渡人に対する債権による相殺をもって譲受人に対抗することができます。

ひとこと

債務者が通知または承諾よりも前に反対債権を有していれば、譲受人に対して相殺を主張できるということです。

売　買

★SECTION08はこんな話★

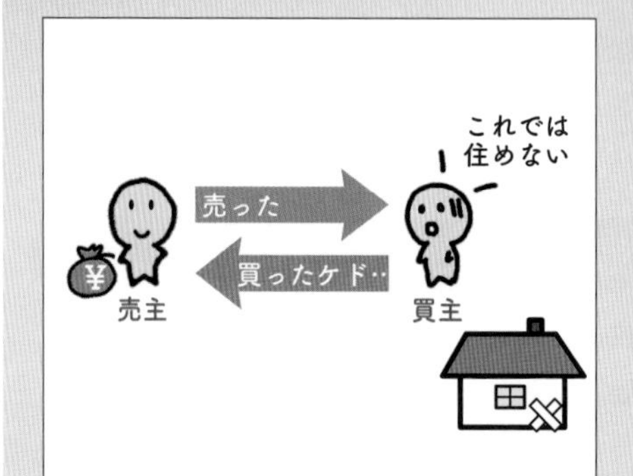

そこに住むために家を買ったのに、欠陥住宅だったら買主は困ります。こうした事態に備えて、民法では、売主に責任を負わせて買主を保護しています。また、売買契約を締結するにあたって、買主が売主に金銭を交付することがあります。これには重要な意味があります。

契約の内容に適合するのかどうかが大切です。

1 売主の義務

売買契約を締結すると、売主には代金債権（代金支払請求権）と売ったものの引渡債務が発生し、買主には、買ったものの引渡債権（引渡請求権）と代金支払債務が発生します。

ひとこと

不動産の売買契約を例に考えてみましょう。

最初は「お金」か「もの」のどちらか1つに注目するとわかりやすくなります。

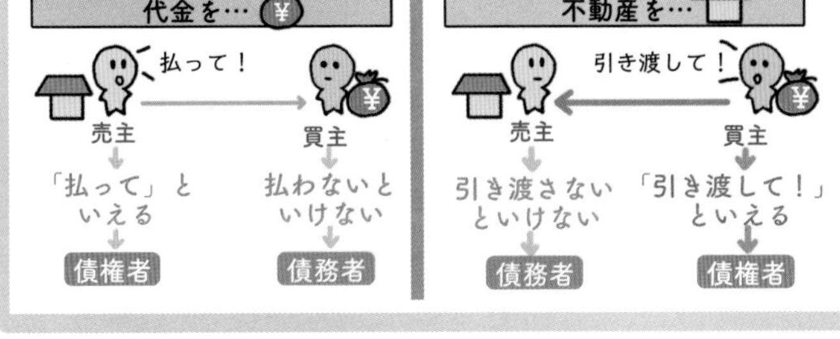

また、売主は買主に対して次のような義務を負います。

チェック

売主の義務

1 権利移転の対抗要件に係る義務

登記や登録などの売買の目的である権利の移転についての対抗要件を備えさせる義務を負う

2 他人の権利の売買における義務

他人の権利（全部または一部が他人のもの）を売買の目的とするときは、その権利を取得して移転する義務を負う

たとえば

300㎡の自分の土地の売買契約をしたが、そのうち20㎡は別の人の土地だったという場合、その人から20㎡を手に入れる必要がある

② 買主の救済（売主の担保責任）

Ⅰ 買主の救済（売主の担保責任）

売買契約によって、買主は目的物を手に入れることができますが、売主が契約の内容を間違えていたり、中途半端に済ませてしまっていることがあります。

売主が、Ⓐ種類・品質・数量について契約の内容に適合しない目的物を買主に引き渡した場合や、Ⓑ買主に移転した権利が契約の内容に適合しない場合には、買主は、売主に対して、次のような手段をとることができます。

ひとこと

目的物の種類・品質・数量は次のようなイメージをもってみましょう！
種類が違う…牛肉を注文したのに鳥肉が届いた
品質が違う…A5ランクの牛肉を注文したのにA3ランクの牛肉が届いた
数量が違う…4kgを注文したのに1kgしか届かなかった

チェック

買主の救済（売主の担保責任）

買主の取れる手段
- ❶追完請求
- ❷代金減額請求
- ❸損害賠償請求
- ❹契約の解除

ポイント

✓「物」の売買だけでなく「権利」の売買も基本的に同じように考える
→ 一部が他人に属する場合でその権利の一部を移転しないときを含む

ひとこと

ⒶやⒷにおける、売買の売主が負う❶～❹についての責任を売主の担保責任といいます。この「担保責任」は「契約不適合責任」といういい方もあり、「契約不適合責任」という場合には、その意味する内容に幅があります。

Ⅱ 追完請求

引き渡された目的物が、種類、品質または数量に関して契約の内容に適合しないものであるときや、買主に移転した権利が契約の内容に適合しないものであるときは、買主は売主に対して、「欠陥がある目的物を直してください」とか、「代わりのものを引き渡してください」とか、「足りない分があるから、その分も引き渡してよね」といった、**履行の追完**を請求することができます。

ただし、その不適合が買主の責めに帰すべき事由によるものであるときは、買主は履行の追完を請求することはできません。

Ⅲ 代金減額請求

引き渡された目的物が、種類、品質または数量に関して契約の内容に適合しないものであるときや、買主に移転した権利が契約の内容に適合しないものであるときは、買主は売主に対して、相当の期間を定めて履行の追完の催告をし、それでも期間内に履行の追完がないときは、その不適合の程度に応じて代金の減額を請求することができます。

ひとこと

たとえば、「4kg注文したのに1kgしか届いてないから、7日以内に足りない分を持ってきて！」といったにもかかわらず、7日以内に追加分の履行がされない場合、3kg分の代金を減額してもらうことができます。

代金減額請求をするときは、まずは催告をするのですが、履行の追完ができない（不能である）ときや、売主が「履行の追完をしない」と拒絶してきたときなどは、催告をしても無駄なので、催告なしに直ちに代金減額請求をすることができます。

なお、その不適合が買主の責めに帰すべき事由によるものであるときは、買主は代金減額請求をすることはできません。

Ⅳ 損害賠償請求・契約の解除

売主が、種類・品質・数量について契約の内容に適合しない目的物を買主に引き渡した場合や買主に移転した権利が契約の内容に適合しない場合、買主は、売主に対して、債務不履行の一般規定により、損害賠償の請求や契約の解除をすることができます。

ひとこと

損害賠償の請求と解除の方法は、SEC.05で確認してください。

Review SEC.05 ② ③

Ⅴ 担保責任の期間の制限

売主が、種類または品質に関して契約の内容に適合しないものを引き渡した場合でも、一定期間が過ぎたときには、買主は責任追及できなくなります。

チェック

担保責任の期間の制限

原則

売主が種類または品質に関して契約の内容に適合しない目的物を買主に引き渡したときは、買主は、その不適合を知った時から1年以内に、その旨を売主に通知しなければ、契約の不適合を理由に追完請求、代金減額請求、損害賠償請求、契約の解除をすることができない

例外

売主が引渡しの時に、その不適合を知っていた、または重大な過失により知らなかったときは、この期間制限はなくなる

ポイント

- ✓ 数量に関する契約の不適合や移転した権利の契約の不適合は担保責任の期間の制限の対象外

✓ 担保責任の期間の制限とは別に消滅時効にかかる
→ 原則として、
買主が権利を行使できることを知った時から5年
権利を行使できる時から10年

VI 担保責任を負わない旨の特約

当事者間で売主の担保責任を負わない旨の特約を結んだときには、原則として売主は担保責任を負いません。

ただし、契約の内容に適合しないことを知りながら告げなかったときなど、一定の場合には、（特約を結んでいたとしても）売主は担保責任を免れることはできません。

3 手　付

I 手付とは

手付（てつけ）とは、売買契約をしたときに買主が売主に交付する金銭のことをいいます。

手付には**証約手付**（しょうやく）や**解約手付**などがありますが、どの手付と定めなかったときには解約手付と推定されます。

ひとこと

証約手付…契約が成立した証拠として交付される手付
解約手付…契約成立後、相手方の債務不履行がなくても解約できるという趣旨で交付される手付

II 解約手付による契約の解除

解約手付は、契約成立後、相手方に債務不履行がなくても、自己都合で契約を解除できる趣旨で交付される手付をいいます。

解約手付による契約の解除のポイントをまとめると、次のとおりです。

チェック

解約手付による契約の解除

❶ 手付による契約の解除ができるのは、相手方が履行に着手するまでの間

→自分が履行に着手していても、相手方が履行に着手していなければ、解約OK

【履行の着手】
売主なら…物件の引渡しなど
買主なら…代金、中間金の支払いなど

❷ 買主は手付を放棄すれば契約を解除できる
売主は手付の倍額を現実に提供すれば契約を解除できる

たとえば 手付が100万円であったときは…
買主から解約するときは、すでに交付した100万円を放棄
売主から解約するときは、買主に200万円を支払う

❸ 手付によって契約が解除されたときは、損害賠償請求はできない

Q H21－問10②

前提 Aを売主、Bを買主として甲土地の売買契約を締結した。

BがAに解約手付を交付している場合、Aが契約の履行に着手していない場合であっても、Bが自ら履行に着手していれば、Bは手付を放棄して売買契約を解除することができない。

A 相手方（A）が履行に着手していなければ、自分（B）が履行に着手していたとしても、手付を放棄して売買契約を解除することができる。 ×

物権変動

★SECTION09はこんな話★

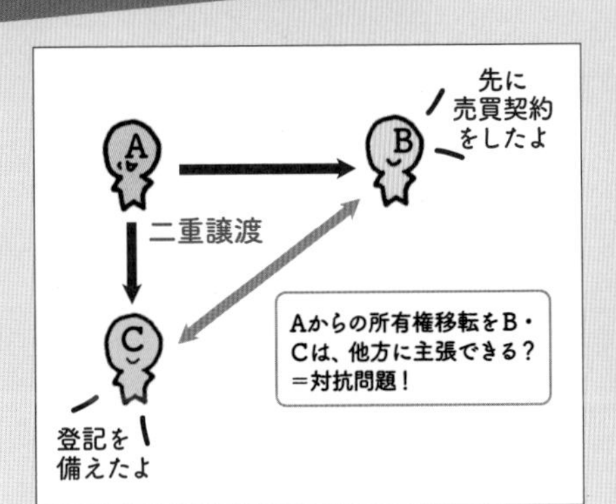

１個の物には所有権は１つしか存在しないので、同じ物について何人も所有権を主張する人が出てきては問題です。しかし、土地が二重に売られたり、売買契約が解除された後に目的物が譲渡されるなど、所有権を主張する人が複数出てくる場面は多々あります。

ポイントは登記！
どういうときに登記が必要になるかが重要です。

① 物権と債権

物権とは、物を直接的・排他的に支配する権利をいい、財産権に分類されます。

ひとこと

財産権には物権の他に債権などがあります。債権とは、債権者が債務者に一定の行為を要求する権利をいいます。

たとえば、お金を貸した人（債権者）が、お金を借りた人（債務者）に「お金を返して」と要求できる権利が債権ですね。

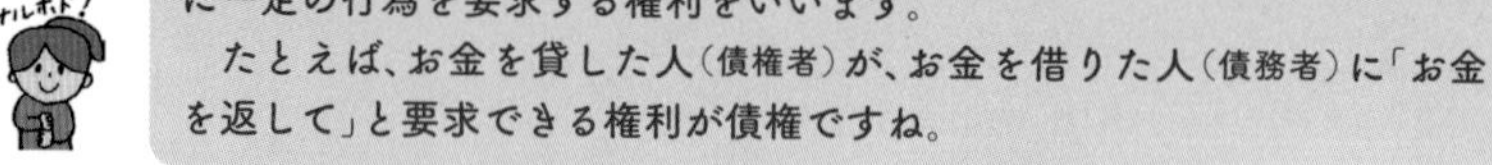

物権には、所有権、地上権、抵当権などがあります。

② 物権変動と登記

不動産に関する物権の変動（所有権の移転、抵当権の設定など）は、登記がなければ原則として第三者に対抗することができません。

ひとこと

登記とは、登記簿に一定事項を記録することをいいます。

→参照 SEC.20

③ 取得時効と登記

Ⅰ 時効完成時の所有者と時効取得者

時効取得者（時効により所有権を取得した者）は、時効完成時に登記がなくても、もとの所有者に対して「自分が所有者である」と所有権を主張できます。

Ⅱ 時効完成前に所有権を取得した第三者と時効取得者

時効取得者は、時効完成時に登記がなくても、時効完成前に所有権を取得した第三者に対して「自分が所有者である」と所有権を主張できます。

Ⅲ 時効完成後に所有権を取得した第三者と時効取得者

時効完成後に所有権を取得した第三者と時効取得者は、対抗関係にあるので、先に登記をしたほうが所有権を主張できます。

4 取消しと登記

Ⅰ 取消し前に所有権を取得した第三者と取消権者

取消権者（契約を、行為能力の制限や詐欺・強迫等を理由に取り消した者）は登記がなくても、取消し前に所有権を取得した第三者に対して所有権を主張できます。

なお、制限行為能力者が行った契約が取り消された場合や強迫による契約が取り消された場合は、第三者が善意でも悪意でも、取消権者は所有権を主張できますが、錯誤・詐欺による契約が取り消された場合は、第三者が善意無過失のときには、取消権者は所有権を主張できません。

ひとこと

制限行為能力者は弱い立場の人なので、最大限保護すべきだし、強迫によって契約させられた人もかわいそうな人なので、最大限保護すべき。だから、この2つについては第三者が善意だったとしても所有権を主張することができます。一方、錯誤・詐欺によって契約させられた人は、かわいそうな人ではあるけれど、自分に多少の落ち度もあるわけだから、第三者が善意無過失だったら所有権を主張することができないのです。

Ⅱ 取消し後に所有権を取得した第三者と取消権者

取消し後に所有権を取得した第三者と取消権者は、対抗関係にあるので、先に登記をしたほうが所有権を主張できます。

⑤ 解除と登記

Ⅰ 解除とは

解除とは、契約が成立したあとに、当事者のうち片方（解除権者＝解除権を有する者）の一方的な意思表示で契約の効果を消滅させ、はじめから契約がなかったものとすることをいいます。

Ⅱ 解除前に所有権を取得した第三者と解除権者

契約が解除される前に所有権を取得した第三者がいる場合、解除前に所有権を取得した第三者と解除権者は、先に登記をしたほうが所有権を主張できます。

Ⅲ 解除後に所有権を取得した第三者と解除権者

解除後に所有権を取得した第三者と解除権者は、対抗関係にあるので、先に登記をしたほうが所有権を主張できます。

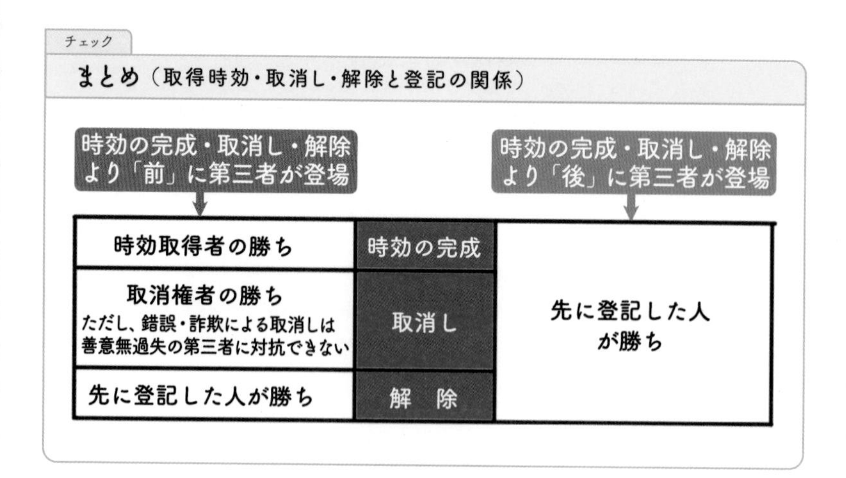

抵当権

★SECTION10はこんな話★

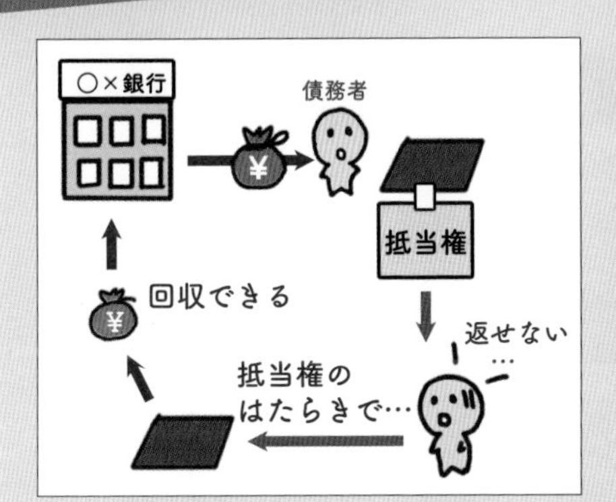

土地を買ったり、家を建てたりするときにローンを組むということがよくありますよね。借入金を支払えなければ、土地や家が競売にかけられて、そのお金が返済に充てられて…という具合です。この一連の流れで、大きな役割を担っているのが、抵当権という権利です。

抵当権があるおかげで、債権者（銀行など）は取りっぱぐれる心配をしないで、お金を貸し出すことができます。

1 抵当権の基本

I 抵当権とは

抵当権とは、土地や建物を債務の担保とし、債務が弁済されない場合に、その土地や建物を競売にかけ、競落代金から債権者が優先して弁済を受ける権利（担保物権）をいいます。

II 抵当権に関する用語

抵当権に関する用語をまとめると、次のとおりです。

チェック

抵当権に関する用語

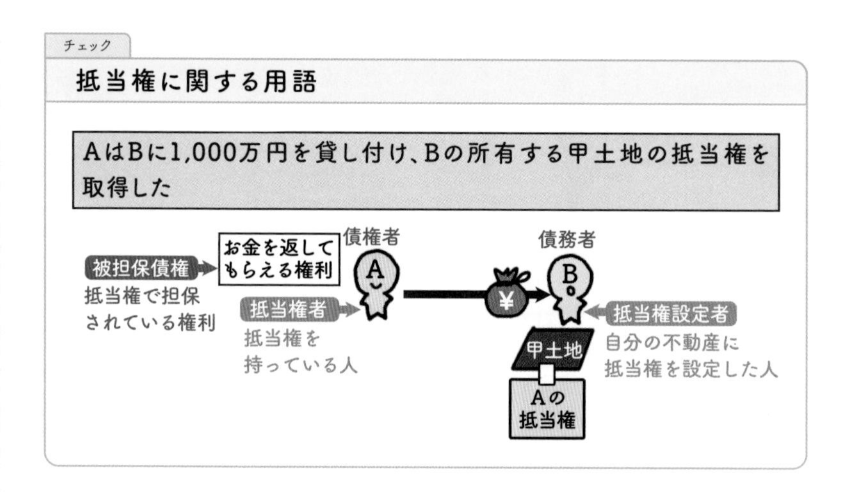

III 抵当権の性質

抵当権には、付従性（ふじゅうせい）、随伴性（ずいはんせい）、不可分性、物上代位性（ぶつじょうだいいせい）といった性質があります。

チェック

抵当権の性質

1 付従性

❶ 抵当権は被担保債権が存在してはじめて成立する

❷ 被担保債権が消滅すれば、それにしたがって抵当権も消滅

↑弁済や時効によって消滅

2 随伴性

抵当権は被担保債権が移転すると、それに伴って移転する

たとえば、AがBにお金を貸して、担保としてBの甲土地に抵当権を設定した。
そのあと、AがCに債権（Bに対する貸金債権）を譲渡した、という場合は・・・

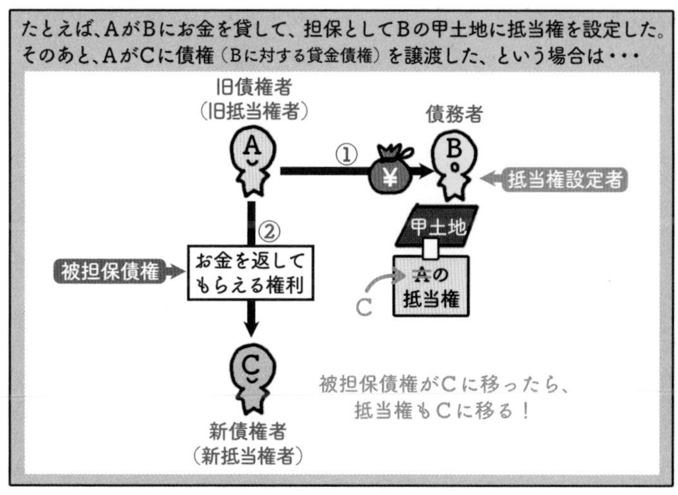

3 不可分性

抵当権は、被担保債権の全部が消滅するまで、抵当不動産の全部について効力を及ぼす

債務者が1,000万円の借金のうち、200万円を返済したからといって、不動産についている抵当権のうち20%が消滅するというわけではない！

4 物上代位性

抵当権は、抵当不動産が売却されたり、滅失等してしまった場合に、抵当不動産の所有者（抵当権設定者）が受け取るべき金銭等について行使することができる

【例】 抵当権が設定されている建物（火災保険が付されている）が火災によって滅失してしまった！

↓

保険会社から建物の所有者に保険金が支払われる

↓

抵当権者はこの保険金を差し押さえて、債権を回収することができる！

2 抵当権の効力

抵当権の効力が及ぶ範囲は次のとおりです。

抵当権の効力が及ぶ範囲

抵当権の効力が及ぶもの	備　考
土地・建物	◆土地に設定した抵当権の効力は建物には及ばない ◆建物に設定した抵当権の効力は土地には及ばない
付加一体物	不動産に付加して一体となったもの 【例】立木、雨戸、ドアなど
（抵当権設定当時からある） 従物、従たる権利	従物…主物に付属しているが独立性があり、独立して権利の対象となるもの（取り外せるもの） 【例】畳、クーラーなど 従たる権利…主物に附属した権利 【例】借地上の建物（主物）の借地権 ◆抵当権設定後の従物、従たる権利には、抵当権の効力は及ばない
抵当不動産の果実	被担保債権に不履行があった場合には、不履行後に生じた抵当不動産の果実にも抵当権の効力が及ぶ【例】賃料など

③ 抵当権の順位

I 抵当権の順位

一つの不動産に対して、複数の抵当権を設定することができます。この場合の抵当権の順位は、登記の前後によって決まります。

II 抵当権の順位の変更

複数の抵当権者がいる場合、各抵当権者の合意によって、抵当権の順位を変更することができます。そのさい、利害関係を有する人がいるときには、その利害関係者の承諾が必要です。

ひとこと

抵当権設定者（債務者）の同意や承諾は不要です。

なお、抵当権の順位の変更は、登記をしなければ効力を生じません。

④ 優先弁済を受けられる額

抵当権者は、元本のほか利息についても優先弁済を受けられます。

ただし、原則として利息については最後の**2年分**だけとなります（後順位の抵当権者がいない場合は2年分に制限されない）。

⑤ 抵当不動産の第三取得者がいる場合

I 抵当不動産の第三取得者とは

抵当不動産の第三取得者とは、抵当権のついた不動産を取得した人のことをいいます。

Ⅱ 第三取得者が抵当権を消滅させる方法

抵当権が実行されてしまうと、せっかく不動産を取得しても、他人（買受人）の所有物となってしまいます。

これを防ぐため、第三取得者は次の方法によって、抵当権を消滅させることができます。

チェック

第三取得者が抵当権を消滅させる方法

たとえば、BがAの抵当権がついた甲土地をCに売却した、という場合は…

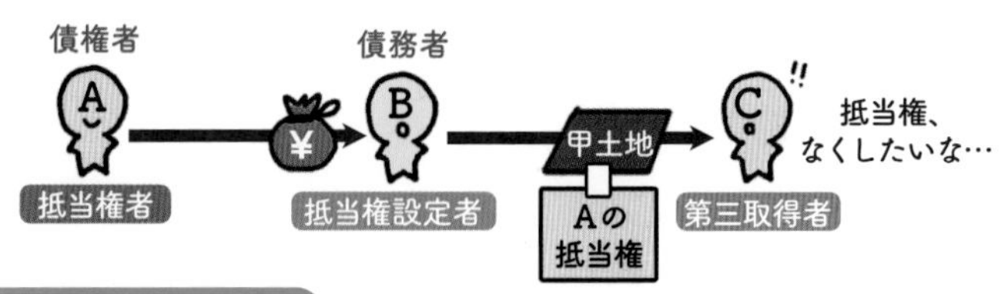

1 弁　済

第三取得者（C）が、債務者（B）の借金を全額弁済すれば、抵当権は消滅する

2 代価弁済

第三取得者（C）が抵当権者（A）の請求に応じて、抵当権者（A）に代価を支払えば、抵当権は消滅する

3 抵当権消滅請求

第三取得者（C）が、抵当権者（A）に対して「一定の金額を支払う代わりに抵当権を消滅して」と請求し、抵当権者（A）がそれを承諾した場合は、抵当権は消滅する

⑥ 法定地上権

Ⅰ 法定地上権とは

たとえば、土地と建物を所有するBがAからお金を借り、担保として土地にAの抵当権を設定したとしましょう。

その後、抵当権が実行され、Cが土地を競落し、土地の所有者となったとします。

そうすると、当初は「土地の所有者＝建物の所有者＝B」であったものが、「土地の所有者＝C、建物の所有者＝B」となります。

このような場合、自動的にBに地上権（その土地を使える権利）を与えて、Bがその土地を使えるようにしています。これを**法定地上権**といいます。

Ⅱ 法定地上権の成立要件

法定地上権は、次の要件をすべて満たしたときに成立します。

法定地上権の成立要件

❶ 抵当権設定当時、土地の上に建物が存在すること
（建物→登記の有無は問わない）

❷ 抵当権設定当時、土地の所有者と建物の所有者が同一であること

❸ 土地・建物の一方または双方に抵当権が設定されていること

❹ 抵当権の実行（競売）により、土地の所有者と建物の所有者が別々になること

⑦ 賃借権との関係

Ⅰ 抵当権設定登記後の賃借権

抵当権設定登記後に設定された賃借権については、原則として、抵当権者および競売による買受人に対抗することができません。

チェック

賃借権との関係

抵当権の設定登記

抵当権設定登記前の賃借権	抵当権設定登記後の賃借権
対抗要件を備えていれば、賃借人は賃借権を抵当権者等に対抗することができる	**原則** 対抗要件を備えていたとしても、賃借人は賃借権を抵当権者等に対抗することができない **例外** すべての抵当権者が同意し、その同意の登記がある場合には、賃借権を対抗できる

II 建物の賃借人の保護

前記のように、抵当権設定登記後の賃借権は原則として抵当権者等に対抗することができません。そのため、抵当権が設定された建物を借りていた人（建物の賃借人）は、抵当権が実行されると、買受人に建物を明け渡さなければなりません（抵当権者等に賃借権を対抗できない場合）。

しかし、「直ちに出て行け」というのは賃借人にとってあまりにも酷なため、一定の場合には、買受人が建物を買い受けたときから**6カ月**を経過するまでは、その建物を買受人に引き渡さなくてもよいことになっています。

建物の賃貸借の場合、「直ちに出て行け」といわれると、賃借人は住む家がなくなってしまいます。そのため、6カ月の猶予が与えられるのです。なお、土地の賃借人にはこのような引渡しの猶予は認められません。

連帯債務、保証

★SECTION11はこんな話★

たとえば、Ａから、Ｂが10万円、Ｃが10万円を別々に借りた場合、Ｂは自分の10万円さえ弁済すれば、Ｃが支払わなくても無関係で何の請求もされませんよね。一方、ＢＣが連帯して20万円の債務を負担したとか、Ｃの債務についてＢが保証したとなれば、少し複雑な処理をしないといけなくなります。

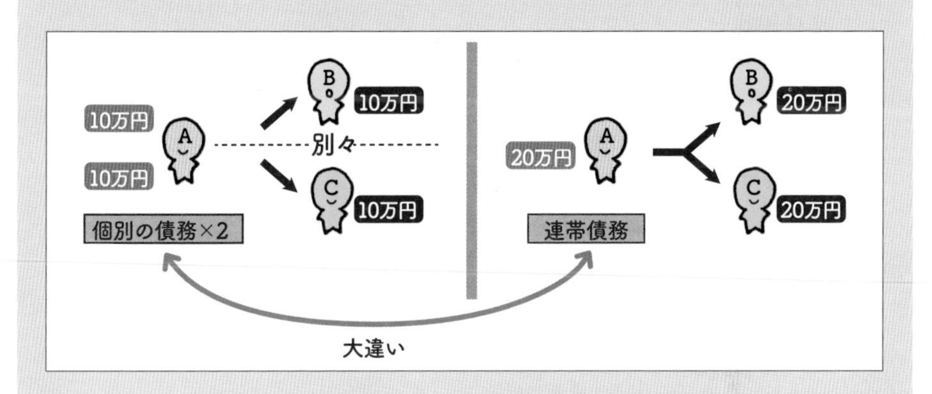

各々の債務者（保証人）は債権者から何を請求されるか、
債務者間の関係はどうなるかおさえていきましょう。

1 連帯債務

I 連帯債務とは

連帯債務とは、債務の目的がその性質上可分である同じ内容の債務について、複数人の債務者が、各自独立して全責任を負うことをいいます。

連帯債務は、債務の目的がその性質上可分である場合に、法令の規定または当事者の意思表示によって数人が連帯して債務を負担するときに成立します。

チェック

連帯債務とは

債権者の請求

債権者は、連帯債務者の誰に対しても、同時または順次に、債務の全額または一部について支払いの請求をすることができる

たとえば、Aが債権者でBとCが連帯債務者（債務の額は2,000万円）であった場合は…

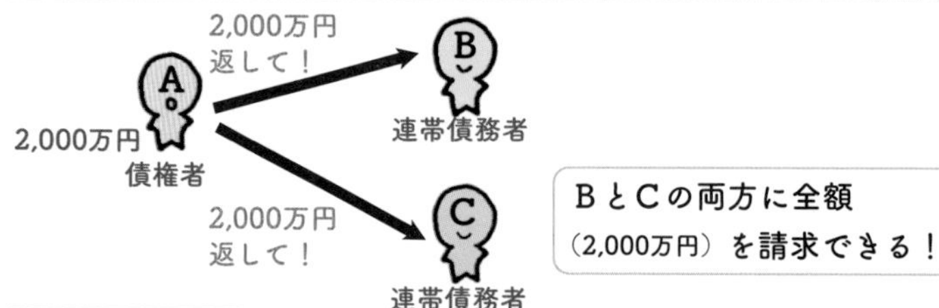

負担部分

連帯債務者間の負担部分は、別段の定めがなければ均一

前記の例の場合なら、BとCは1,000万円ずつ負担。
ただし、「Bは1,500万円、Cは500万円を負担」などの定めがあれば、それに従う

弁済と求償

❶ 連帯債務者の1人が弁済した場合は、他の連帯債務者の債務もその分消滅する

❷ 連帯債務者の1人が弁済し、その他自己の財産で共同の免責を得たときは、その連帯債務者は他の連帯債務者に対して原則、求償できる

Ⅱ 連帯債務者間の影響

連帯債務者の１人に生じた事由は、原則として他の債務者に影響を及ぼしません。これを**相対効**（相対的効力）といいます。

なお、例外的に連帯債務者の１人に生じた事由が他の債務者に影響を及ぼす場合があり、これを**絶対効**（絶対的効力）といいます。

チェック

連帯債務者間の影響（相対効と絶対効）

相対効	連帯債務者の1人について生じた下記（絶対効）以外の事由の効力は、他の債務者に影響を及ぼさない ↓ 請求、時効の完成など
絶対効	連帯債務者の1人について生じた弁済、相殺、更改、混同の効力は、他の債務者にも影響を及ぼす

② 保証債務

Ⅰ 保証とは

保証とは、債務者が弁済できなくなったときに備えて、代わりに弁済してくれる人（保証人）を立てておくことをいいます。

また、保証人が負っている義務を**保証債務**といいます。

抵当権が「物」を担保とする（物的担保）のに対して、保証は「人」を担保とする制度（人的担保）です。

保証契約は、書面や電磁的記録で行わなければ効力を生じません。

電磁的記録とは、コンピュータで処理される記録をいいます。

なお、本来の債務者を主たる債務者、主たる債務者が負っている、本来の債務を主たる債務といいます。

II 保証債務の性質

保証債務には、付従性、随伴性、補充性といった性質があります。

1 付従性

保証債務は、主たる債務が成立してはじめて成立します。また、主たる債務が消滅すれば、それに伴って消滅します。このような性質を付従性といいます。

ひとこと

保証債務は、主たる債務に従属するものなので、主たる債務の運命に従って、成立・消滅するのです。

なお、逆の関係（保証債務が消滅すると、主たる債務が消滅する等）は成り立ちません。

2 随伴性

保証債務は、主たる債務が移転するときは、それに伴って移転します。このような性質を随伴性といいます。

ひとこと

債権の譲渡などによって債権が移転したら、保証債務もそれに伴って移転します。

3 補充性

保証人は、主たる債務者が弁済しない場合のみ弁済すればよいとされます。これを保証債務の補充性といいます。

III 保証債務の範囲

保証債務の範囲は、主たる債務者の負っている元本のほか、そこから生じる利息・違約金・損害賠償などにも及びます。

Ⅳ 保証人の求償権

保証人が、債権者に対して（主たる債務を）弁済したときには、主たる債務者に対して求償することができます。

③ 連帯保証

連帯保証とは、保証人が主たる債務者と連帯して債務を負う保証形態をいい、主たる債務者に生じた事由は、連帯保証人にも効力が及びます。

また、連帯保証人に生じた事由は、原則として主たる債務者には効力が及びません。

ただし、例外として主たる債務を消滅させる行為（弁済、相殺、更改など）は主たる債務者にも効力が及びます。

賃貸借

★SECTION12はこんな話★

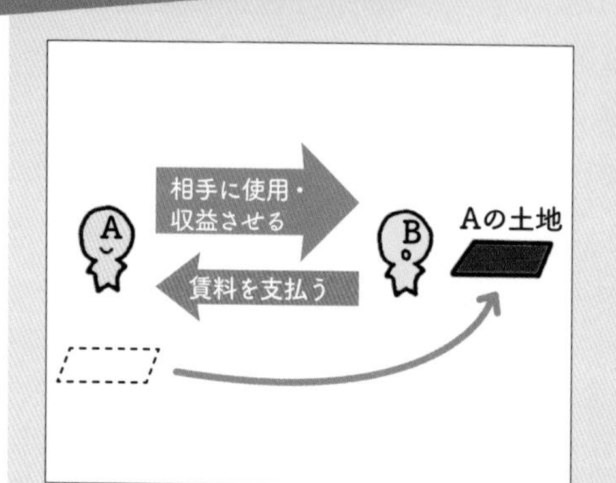

自分の所有物を使うのと、他人の所有物を使わせてもらうのとでは、大違いです。物を貸す人―借りる人の関係性が生じてきますし、どのくらい使うことができるのかという制約もあります。ここでは、お金を払って物を使わせてもらう賃貸借についてみていきます。

賃借権に基づいてどのようなことが言えるか、どのような制約があるかをおさえていきましょう。

① 賃貸借とは

賃貸借（ちんたいしゃく）とは、賃料を対価に物の貸し借りをすることをいいます。

② 賃貸借の存続期間

賃貸借の存続期間は**50年**を超えることができません。50年を超える期間を定めた場合には、**50年**に短縮されます。また、賃貸借契約は更新することができますが、更新後の期間も**50年**を超えることはできません。

なお、期間の定めのない賃貸借も有効です。

民法では「50年」ですが、借地借家法では修正が加えられています。

→参照 借地借家法 SEC.13、SEC.14

③ 賃貸借の終了

Ⅰ 期間の定めのある賃貸借の場合

期間の定めのある賃貸借は、原則として期間の満了をもって終了します。

ただし、期間が満了したあとも賃借人（借主）が賃借物の使用（または収益）を継続している場合で、賃貸人（貸主）がこれを知りながら異議を述べなかったときは、従前の賃貸借契約と同じ条件で更新されたものと推定されます。

Ⅱ 期間の定めのない賃貸借の場合

期間の定めのない賃貸借は、当事者はいつでも解約の申入れをすることができます。解約の申入れがあったときは、土地の賃貸借については申入れの日から**1年経過後**、建物の賃貸借については申入れの日から**3カ月経過後**に終了します。

4 民法における賃借権の対抗要件

民法において、不動産の賃借権は登記すれば、第三者に対抗することができます。

5 賃貸人・賃借人の権利義務

賃貸人および賃借人の権利義務には、次のようなものがあります。

I 目的物の修繕

原則として、賃貸人は賃貸物の使用および収益に必要な修繕をする義務を負っています。また、賃借人も一定の場合、修繕をすることができます。

II 必要費と有益費

1 必要費

必要費とは、目的物の現状を維持するために必要な支出をいいます。

ひとこと

雨漏りの修繕にかかる費用などが必要費です。

賃貸人は、原則として賃貸物の使用および収益に必要な修繕を行う義務を負うため、必要費は賃貸人が支出すべきものですが、賃借人が一時的にその費用を立て替えておくこともあります。

ひとこと

台風で雨漏りがするので、賃貸人に連絡したけど、賃貸人が入院していたため、賃借人がとりあえず自分でお金を払って、業者に雨漏りをなおしてもらったという場合などですね。

賃貸人が修繕義務を負う場合で賃借人が必要費を支出したときは、賃借人は賃貸人に対して、直ちにその費用の償還を請求することができます（費用償還請求権）。

2 有益費

有益費とは、目的物の価値を増加させるための支出をいいます。

ひとこと

洋式トイレにウォシュレットをつけた場合の費用などが有益費です。

賃借人が有益費を支出したときは、賃貸借契約の終了時に、その価値の増加分が残っていれば、賃貸人は「賃借人が支出した金額」または「賃貸借の終了時に残存する価値の増加額」のいずれかを選択し、その額を賃借人に償還しなければなりません。

III 原状回復義務

賃借人は、賃借物を受け取った後に生じた損傷（通常の使用によるものおよび経年劣化を除く）がある場合、賃貸借が終了したときに、その損傷につき原状回復義務を負います。

ただし、賃借人の責めに帰することができない事由によるもののときは、原状回復義務はありません。

IV 賃料の減額等

賃借物の一部が、賃借人の責めに帰することができない事由によって滅失等により使用および収益をすることができなくなった場合、賃料は、その滅失等の割合に応じて減額されます。

ひとこと

当然に減額されるので、賃借人からの請求は不要です。

また、一部が滅失等によって使用および収益をすることができなくなった場合、残存する部分のみでは賃借をした目的を達することができないときは、賃借人は契約の解除をすることができます。

ひとこと

賃借物の全部が滅失等により使用および収益することができなくなった場合、賃貸借は、解除をするまでもなく終了します。

⑥ 賃借権の譲渡・賃借物の転貸

I 賃借権の譲渡・賃借物の転貸とは

賃借権の譲渡とは、賃借人が賃借権をほかの人に譲り渡すことをいいます。また、賃借物の転貸(てんたい)とは、賃借人が借りている物をほかの人に又貸しすることをいいます。

II 無断譲渡・無断転貸の禁止

賃借人が賃借権の譲渡や転貸をするときは、賃貸人の承諾が必要です。

賃借人が賃借権を無断で譲渡等した場合には、原則として賃貸人は契約を解除することができます。

III 賃借権の譲渡・賃借物の転貸の効果（承諾がある場合）

1 賃借権の譲渡の効果

賃借人が賃借権を譲渡した場合には、譲受人が新賃借人となります（賃貸人と旧賃借人の関係は終了します）。

2 賃借物の転貸の効果

賃借人が賃借物を転貸した場合は、賃貸人と賃借人（転貸人）の関係は終了しません。したがって、賃貸人は賃借人に対して賃料を請求することができます。

転借人は賃借人の債務の範囲を限度として直接履行する義務を負うため、賃借人が賃料を支払わない場合には、賃貸人は転借人に対して直接賃料を請求することができます。

⑦ 敷　金

I 敷金とは

敷金（しききん）とは、賃借人が賃料を支払わなかった場合などに備えて、名目を問わず賃借人の賃貸人に対する金銭の給付を目的とする債務の担保として、賃借人が賃貸人に差し入れる金銭をいいます。

敷金は預り金の一種なので、賃借人の賃料未払い等を控除して残額があれば、賃借人に返還されます。

II 敷金の返還時期

敷金の返還は、賃貸借契約が終了し、賃貸物を返還したあと、または賃借人が適法に賃借権を譲り渡したときとなります。

ひとこと

賃貸借契約が終了した場合、賃借人が賃貸物を返還したあとに、敷金が返還されます。つまり、「賃貸物の返還」と「敷金の返還」は同時履行の関係にありません。

したがって、賃借人は「敷金を返してくれないなら、建物を明け渡さないよ！」ということはできないのです。

借地借家法（借地）

★SECTION13はこんな話★

借地借家法とは、建物所有目的の土地や建物を借りる場合に適用される法律です。民法でも賃貸借について規定がありましたが、立場の弱い賃借人を保護するために、この法律があります。借地借家法は、「借地」と「借家」に分かれますが、ここでは「借地」について見ていきます。

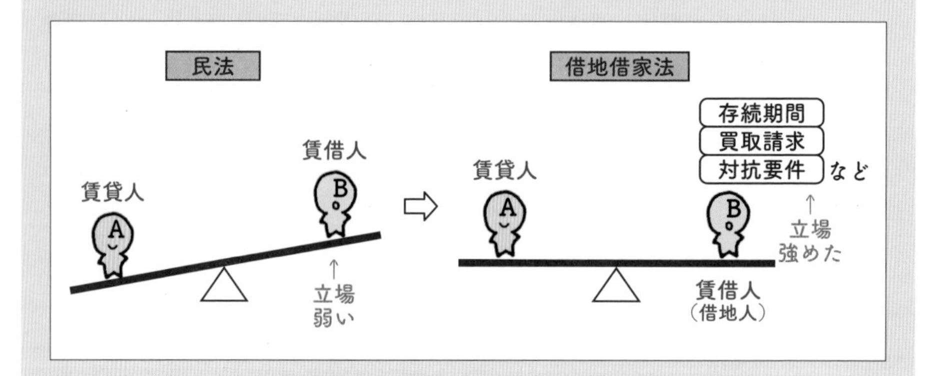

宅建士試験では、得点源となりうる科目です。
例年、借地で１問、借家で１問の計２問の出題があります。

① 借地借家法の適用範囲（借地）

建物の所有を目的とする地上権または土地の賃借権を借地権（しゃくちけん）といい、借地権については借地借家法が適用されます。

借地権がある人（土地の賃借人。借主）を借地権者（しゃくちけんじゃ）、借地権を設定された人（地主。貸主）を借地権設定者（しゃくちけんせっていしゃ）といいます。

チェック

借地権とは

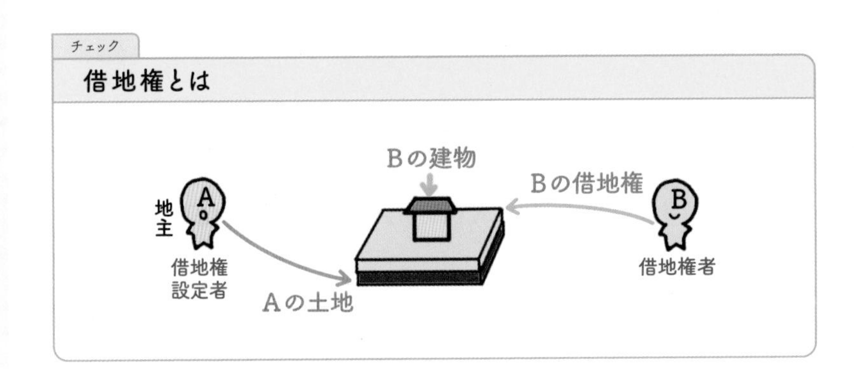

② 借地権の存続期間

Ⅰ 当初の存続期間

民法上の賃貸借の存続期間は**最長50年**でしたが、借地借家法における借地権の存続期間は**30年**とされています。契約でこれより短い期間を定めた場合も**30年**となります。

なお、契約で30年より長い期間を定めた場合には、契約で定めた期間が存続期間となります。

Ⅱ 契約の更新

借地契約の更新方法には、合意更新、請求更新、法定更新の3つがあります。なお、請求更新と法定更新は、借地上に建物が存在する場合に限られます。

③ 建物買取請求権

借地権の存続期間が満了した場合で、借地契約の更新がないときは、借地権者は借地権設定者に対して、建物を時価で買い取ることを請求できます。

民法の規定によると、借地権者は建物を取り壊して更地で返さなければなりませんが、まだ使える建物を取り壊してしまうのはもったいないので、借地借家法ではこのような規定が定められています。

建物買取請求権は「借地権の存続期間が満了した場合」に認められます。したがって、借地権者が地代を支払わなかった等の理由（借地権者の債務不履行）で契約が解除された場合には、借地権者に建物買取請求権は認められません。

④ 借地権の対抗力

民法上、不動産の賃借人が第三者に対して、不動産の賃借権を対抗するためには登記が必要ですが、借地借家法では、借地上に借地権者が、自己を所有者として登記した建物を所有していれば、（借地権の登記がなくても）第三者に対抗することができるとしています。

ひとこと

賃借権の登記はあまり行われないため、借地借家法では「登記した建物を所有していればOK」としているのです。

⑤ 借地上の建物を譲渡等する場合

Ⅰ 借地上の建物を譲渡する場合の土地賃借権の譲渡・転貸

たとえば、借地権設定者（地主）がA、借地権者がBである場合、Bは借地上の建物自体を第三者（C）に譲渡することは自由にできます。しかし、建物だけ譲渡しても、それに借地権がついていなければ（土地が使用できないので）意味がありません。そこで、借地上の建物を譲渡する場合には、借地権も譲渡するか、借地を転貸する必要があります。

借地権が地上権の場合には、借地権設定者（A）の承諾なしに地上権の譲渡や土地の賃貸をすることができますが、借地権が土地賃借権の場合には、借地権の譲渡や借地の転貸をするときに、借地権設定者（A）の承諾が必要になります。

借地権は、建物の所有を目的とした❶地上権または❷土地賃借権のことでしたね。

地上権と（土地）賃借権の違いは次のとおりです。

原則として
- 第三者に対抗できる（物権）→地上権←強い権利
- 第三者に対抗できない（債権）→（土地）賃借権←ちょっと弱い権利

そのため、Aが承諾しないと、事実上、Bは建物をCに譲渡できなくなってしまいます。これだと借地権者（B）にとって酷なので、借地借家法では、借地権設定者（A）の承諾に代わる裁判所の許可でもよいとしています。

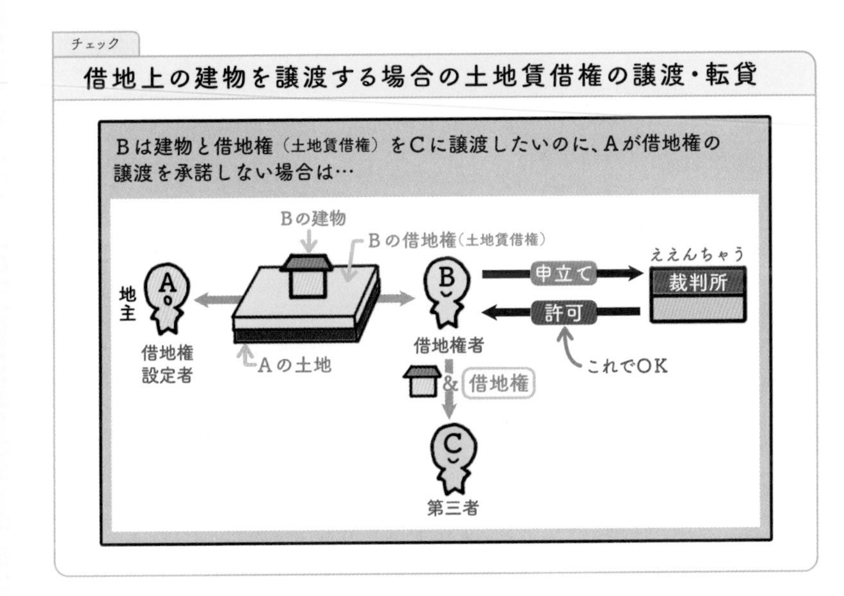

Ⅱ　借地上の建物を第三者が取得した場合の建物買取請求

第三者（C）が、借地権者（B）から借地上の建物を取得した場合で、借地権設定者（A）が土地賃借権の譲渡または借地の転貸を承諾しないときは、第三者（C）は、借地権設定者（A）に対して時価で建物を買い取るべきことを請求できます。

Ⅲ　借地上の建物を競売で取得した場合の許可および建物買取請求

第三者（C）が借地上の建物を競売により取得した場合で、その第三者（C）が土地賃借権を取得しても借地権設定者（A）に不利となるおそれがないにもかかわらず、借地権設定者（A）が承諾しないときは、第三者（C）は裁判所に申し立てることにより、借地権設定者（A）の承諾に代わる許可を受けることができます。

また、借地権設定者（A）の承諾も裁判所の許可も得られない場合には、第三者（C）は、借地権設定者（A）に対して時価で建物を買い取るべきことを請求することもできます。

6　定期借地権等

これまでは一般的な借地権（普通借地権）についてみてきましたが、ここでは特殊な借地権についてみていきます。

Ⅰ　（一般）定期借地権

存続期間を**50年以上**とする借地権を設定する場合には、以下の特約を定めることができます。

（一般）定期借地権で定めることができる特約

❶　契約の更新がないこと
❷　建物滅失時における建物の再築による存続期間の延長がないこと
❸　建物買取請求権がないこと

なお、上記の特約を定めるときは、書面（公正証書でなくてもよい）または電磁的記録で行う必要があります。

Ⅱ 事業用定期借地権

事業用定期借地権は、もっぱら事業の用に供する建物（居住の用に供するものを除く）の所有を目的とし、存続期間を**10年以上50年未満**とする借地権をいいます。このうち、存続期間を10年以上30年未満とする事業用定期借地権には、❶契約の更新、❷建物の再築による存続期間の延長、❸建物買取請求権等がありません。また、存続期間を30年以上50年未満とする事業用定期借地権には、❶～❸がない旨の特約を定めることができます。

事業用定期借地権の設定は、公正証書で行わなければなりません。

Ⅲ 建物譲渡特約付借地権

建物譲渡特約付借地権とは、借地権を消滅させるため、その設定後**30年以上**経過した日に、借地上の建物を借地権設定者（地主）に相当の対価で譲渡する旨の特約を定めた借地権をいいます。この特約は書面で行う必要はありません（口頭でも可）。

Ⅳ 一時使用目的の借地権

一時使用のために借地権を設定したことが明らかな場合には、普通借地権に関する規定（存続期間、更新、建物買取請求権、建物の滅失と再築）や定期借地権等の規定は適用されません。

借地借家法（借家）

★SECTION14はこんな話★

ここでは、建物を借りる場面について扱います。ここでも、立場の強い大家さんの言うとおりの条件で賃貸借契約を結ぶのでは、家を借りる人は不利になってしまうことから、借地借家法で手当てがなされています。

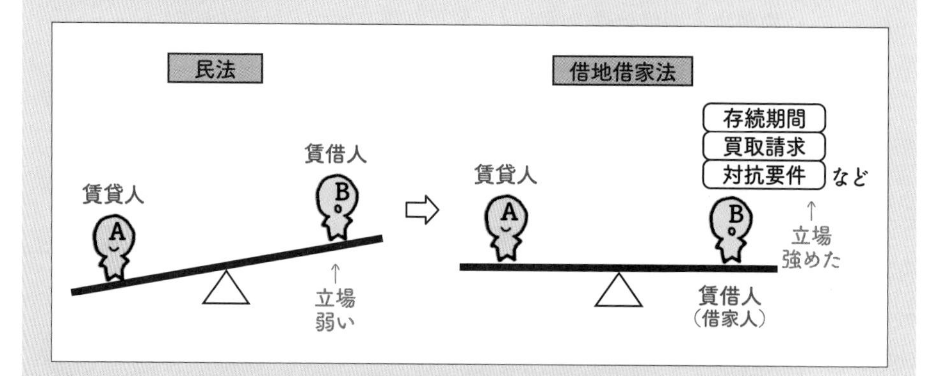

「賃借人は保護されている」というのがポイント！
自分が賃借人なら嬉しい規定がたくさんあります。

1 借地借家法（借家）の適用範囲

建物の賃貸借に関しては、借地借家法が適用されます。ただし、一時使用のために建物を賃貸借した場合には、借地借家法は適用されません。

ちなみに、建物の賃借権を借家権といいます。

2 借家契約の存続期間

民法上の賃貸借の存続期間は**最長50年**でしたが、借地借家法における借家契約の存続期間には最長期間の制限がありません。

なお、期間を1年未満とする建物の賃貸借においては、**期間の定めのない賃貸借**とみなされます。

3 契約の更新と解約

I 期間の定めがある場合

期間の定めがある場合、期間満了の**1年前**から**6カ月前**までの間に、相手方に対し、「更新をしない」旨の通知をしなかったときには、従前の契約と同一の条件（ただし、期間については定めがないものとなる）で契約を更新したものとみなされます。

なお、**賃貸人**から上記の通知をする場合には、正当事由が必要です。また、賃貸人が正当事由をもって「更新をしない」旨の通知をした場合でも、期間が満了したあとに賃借人がその建物の使用を継続しているときは、賃貸人が遅滞なく異議を述べないと、従前の契約と同一の条件（ただし、期間については定めがないものとなる）で契約を更新したものとみなされます。

II 期間の定めがない場合

期間の定めがない場合、解約の申入れをすると契約が終了します。

賃借人から解約を申し入れる場合には、正当事由は不要で、解約の申入日から**3カ月経過後**に賃貸借が終了します。

一方、賃貸人から解約を申し入れる場合には、正当事由が必要で、解約の申入日から**6カ月経過後**に賃貸借が終了します。

4 造作買取請求権

借地借家法では、建物の賃貸人の同意を得て取り付けた造作(ぞうさく)（畳や建具など）がある場合、賃借人は契約の終了時に賃貸人に対して、造作を時価で買い取ることを請求できます。

ただし、造作買取請求権を認めない旨の特約は有効に定めることができます。

Q H23－問12①改

Aが所有する甲建物をBに対して賃貸する場合、AB間の賃貸借契約が借地借家法第38条に規定する定期建物賃貸借契約であるか否かにかかわらず、Bの造作買取請求権をあらかじめ放棄する旨の特約は有効に定めることができる。

A 造作買取請求権を認めない旨の特約は有効に定めることができる（定期建物賃貸借契約については⑧を参照のこと）。 ○

5 建物賃借権（借家権）の対抗力

民法上、建物の賃借人が、第三者に建物賃借権（借家権）を対抗するためには、建物賃借権の登記が必要ですが、借地借家法では、建物賃借権の登記がない場合でも、建物の引渡しがあった場合には、建物賃借権を第三者に対抗することができるとしています。

⑥ 家賃の増減額請求権

借家の家賃（借賃）が、近隣の建物の家賃と比較して不相当となった場合等は、当事者（賃貸人、賃借人のいずれも）は、将来に向かって家賃の増額または減額を請求することができます。

ひとこと
「将来に向かって」というのは、「これまでの分は従来の家賃ですよ」ということです。

なお、一定の期間、家賃を増額しない旨の特約がある場合には、その期間内については増額請求をすることができません。

ひとこと
「一定の期間、家賃を減額しない」旨の特約は無効です（賃借人に不利となるため）。

⑦ 建物賃借権の譲渡・借家の転貸

I 建物賃借権の譲渡、借家の転貸をする場合

建物の賃借人が建物賃借権を譲渡したり、借家を転貸する場合には、賃貸人の承諾が必要です（民法の規定どおり）。

賃貸人の承諾がなく、建物賃借権の譲渡等が行われた場合には、賃貸人は賃貸借契約を解除することができます。

ひとこと
借地権（SEC.13）の場合と異なり、建物賃借権の場合には、裁判所の介入はありません。

II 建物の賃貸借が終了した場合の転貸借

建物が転貸借されている場合（賃借人が又貸しした場合）で、建物の賃貸借が終了したときの転貸借関係は、次のようになります。

1 期間の満了または解約申入れによる終了

賃貸借が、期間の満了または解約申入れによって終了した場合、賃貸人は転借人にその旨を通知しなければ、その終了を転借人に対抗できません。

2 債務不履行による解除

賃貸借が、賃借人の債務不履行（賃料を支払わなかったなど）により解除された場合、原則として、賃貸人が転借人に対して建物の明渡しを請求した時に転貸借も終了します（賃貸人は転借人に対抗することができます）。

賃貸人は転借人に「出て行け！」といえます。

この場合、賃貸人は転借人に対して通知等をして、賃料を支払う機会を与える必要はありません。

3 合意による解除

賃貸借が、賃貸人と賃借人の合意によって解除された場合でも、原則として転貸借は終了しません（賃貸人は転借人に対抗することができません）。

基本的に、賃貸人は転借人に「出て行け！」といえません。

III 借地上の建物の賃借人の保護

たとえば、借地権設定者（地主）がA、借地権者がBで、Bが借地上に建物を建てたあと、その建物をCに賃貸したとします。

この場合において、借地権の存続期間（AB間の契約）が満了すると、Cは建物を明け渡さなければなりません。しかし、Cがそのこと（借地権の期間の満了）を知らなかった場合に、Cに対して「期間が満了したから直ちに出て行け」というのは、Cにとって酷です。

そこで、借地借家法では以下の規定を設けて、借地上の建物の賃借人を保護しています。

チェック

借地上の建物の賃借人の保護

借地上の建物の賃借人が、借地権の存続期間が満了することを、その1年前までに知らなかったときは、裁判所は、建物の賃借人の請求により、当該建物の賃借人がそのことを知った日から1年を超えない範囲内において、土地の明渡しに相当の期限を許与することができる

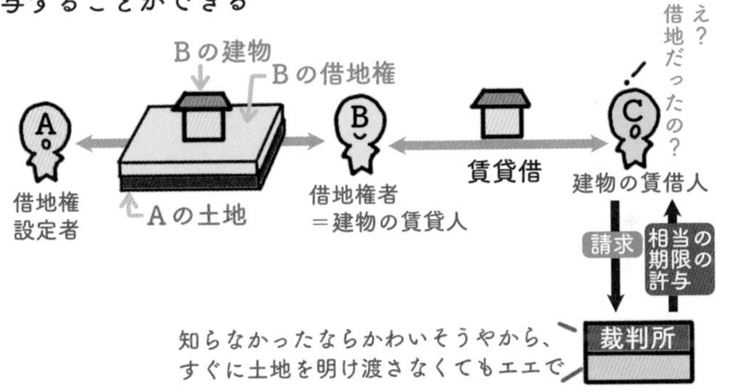

ひとこと

「借地」がからんでいるので、この場合だけ裁判所の介入があります。

8 定期建物賃貸借（定期借家権）等

これまでは一般的な借家権（普通借家権）についてみてきましたが、ここでは特殊な借家権についてみていきます。

I 定期建物賃貸借（定期借家権）

期間の定めがある建物の賃貸借を行う場合、書面または電磁的記録によって契約をするときに限って、契約の更新がないこととすることができます。

ひとこと

定期借家権は「○年だけ家を貸すよ。そのあとは契約を更新しないから、家を返してね」とする賃貸借契約です。

II　取壊し予定建物の賃貸借

法令や契約によって、一定期間経過後に建物を取り壊すことが明らかな場合に、その建物の賃貸借をするときは、建物の取壊し時に賃貸借が終了する旨の特約を定めることができます。

この特約は、建物を取り壊すべき事由を記載した書面によって行う必要があります。なお、この特約は、特約の内容および建物を取り壊すべき事由を記録した電磁的記録によって行うこともできます。

請　負

★SECTION15はこんな話★

既に存在する建物についてお金を払って手に入れるのは売買ですが、新たに建物を建ててもらってそれに対してお金を払うのが請負です。売買と似たような規定がありますが、売買と請負との性質の違いから、微妙に違うところがあります。

「もし大工さんに建ててもらった家に欠陥があったら？」
と思い浮かべてみよう！

① 請負とは

請負（うけおい）とは、請負人が仕事を完成させ、注文者がその仕事に対して報酬を与える契約をいいます。

請負において、請負人は完成した目的物を引き渡す義務が、注文者は報酬を支払う義務が生じます。この「目的物の引渡し」と「報酬の支払い」は同時履行の関係にあります。

同時履行とは「いっせーのせ！で、同時にやろうぜ」ということです。ですから、請負人は注文者が報酬を支払わなければ目的物の引渡しを拒むことができますし、注文者は請負人が目的物を引き渡さなければ報酬の支払いを拒むことができます。

② 請負人の担保責任

目的物に契約不適合がある場合、注文者は請負人に対して、①履行の追完請求（修補請求を含む）、②報酬減額請求、③損害賠償、④契約の解除をすることができます。

ひとこと

つまり、請負人の担保責任は、売買契約における売主の担保責任と同じ！

売主→請負人、買主→注文者と読み替えて理解しましょう。

③ 請負人の担保責任の制限

当事者間で、（請負人は）担保責任を負わない旨の特約を結んだときには、原則として請負人は担保責任を負いません。

ただし、請負人が事実を知っていたのに、注文者に言わなかった場合には、（特約を結んでいたとしても）請負人は担保責任を免れることはできません。

ひとこと

アタリマエといえば、アタリマエな話ですね。

不法行為

★SECTION16はこんな話★

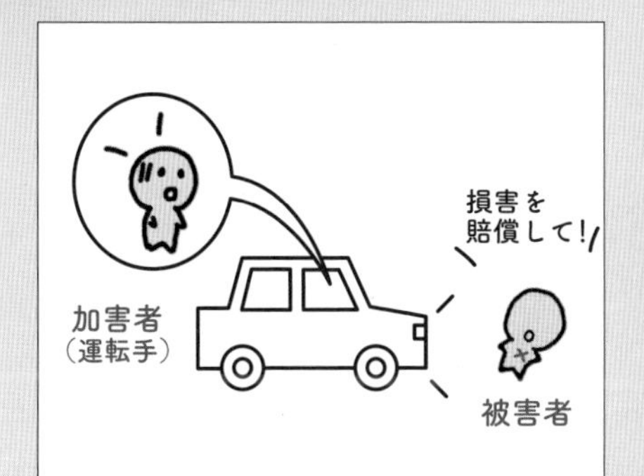

交通事故があったときに運転手が被害者に賠償するということがありますね。この場合の交通事故が不法行為です。ここで、この運転手が仕事中だったり、事故後に医者の不適切な処置で怪我が長引いたりした場合などには、被害者の請求先が増えることがあります。

自分が事故の被害者だったら、
お金を持っている人に賠償請求したいですよね。

① 不法行為とは

不法行為(ふほうこうい)とは、故意または過失により、他人に損害を与える行為をいいます。

ひとこと
たとえば、車の運転中、信号を無視して通行人をはねたという場合、過失によって他人（通行人）に損害を与えたといえるため不法行為となります。

不法行為をした人（加害者）は、これによって生じた損害を賠償する責任を負います。

② 使用者責任

たとえば、A社（使用者）に勤務するBさん（被用者）が、A社の事業執行に関連してCさん（他人）に損害を与えた場合には、原則として、A社（使用者）もBさん（被用者）とともに損害賠償責任を負います（使用者責任）。

ひとこと
たとえば、A社（宅配業）に勤務するBさん（宅配ドライバー）が業務中に不注意で、Cさん（通行人）をはねたという場合、A社もBさんとともにCさんに対する損害賠償責任を負います。

③ 工作物責任

たとえば、A所有の建物をBが賃借していたとします。その建物の塀に瑕疵があり、塀の一部が崩れて通行人Cにケガをさせたという場合、その工作物（塀）の占有者であるBは損害賠償責任を負います（工作物責任）。

ただし、占有者Bが損害防止のために必要な注意をしていた場合には、所有者Aが損害賠償責任を負います。

ひとこと
所有者＝その物の本当の持ち主
占有者＝その物を実際に使っている人

チェック

工作物責任のポイント

☆ 土地の工作物（壁、塀など）の設置・保存に瑕疵があり、他人に損害を与えたときは、工作物の占有者Ⓑが損害賠償責任を負う

☆ 占有者が損害防止のために必要な注意をしていたときには、所有者Ⓐが損害賠償責任を負う

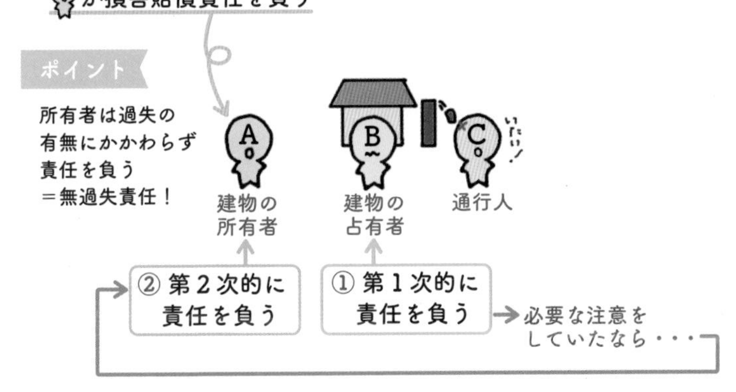

相　続

★SECTION17はこんな話★

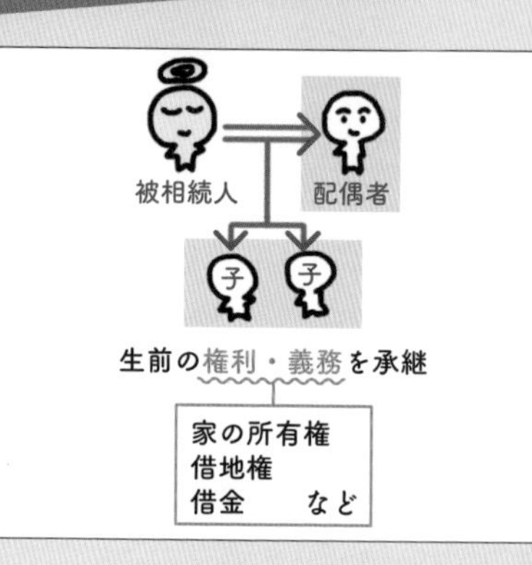

「そもそも相続とは何か」という質問にちゃんと答えられる人はあまり多くないと思います。借金を背負うとか、遺産の分割で揉めるといったボンヤリしたイメージではなく、具体的に相続によって何が生じ、どんな法律上の処理があるのか、しっかり見ていきます。

相続は権利関係では頻出科目！
計算問題として出題されることもあります。

1 相続とは

相続とは、死亡した人（被相続人）の財産（資産および負債）を、残された人（相続人）が承継することをいいます。

2 相続人

I 法定相続人

民法では、相続人の範囲を被相続人の配偶者と一定の血族に限っています（法定相続人）。

II 相続人の範囲と順位

被相続人の配偶者は常に相続人となります。また、血族相続人（被相続人と一定の血族関係にある相続人）には優先順位があります。

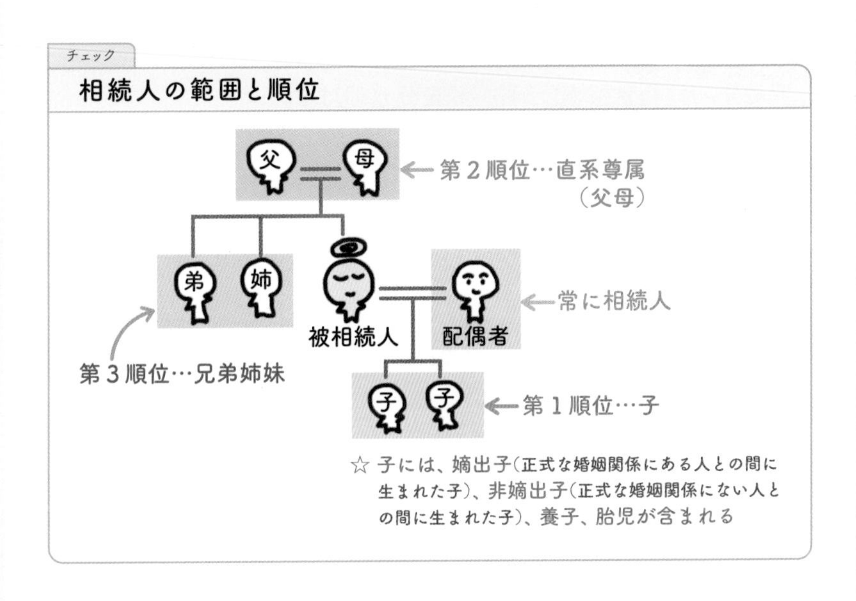

III　代襲相続

代襲相続（だいしゅうそうぞく）とは、相続の開始時に、相続人となることができる人がすでに死亡、欠格、廃除によって、相続権がなくなっている場合に、その人の子（たとえば、被相続人の子が死亡している場合には被相続人の孫）が代わりに相続することをいいます。

ひとこと

欠格…被相続人を殺害したり、詐欺や強迫によって遺言書を書かせたりした場合などに、相続権がなくなること

廃除…被相続人を生前に虐待するなど、著しい非行があった場合に、被相続人が家庭裁判所に申し立てること等により、その相続人から相続権をなくすこと

③ 相続分

相続分とは、複数の相続人がいる場合の、各相続人が遺産を相続する割合をいいます。

相続分には、**指定相続分**と**法定相続分**があります。

I　指定相続分

被相続人は、遺言で各相続人の相続分を指定することができます。この場合の相続分を**指定相続分**といい、法定相続分より優先されます。

II　法定相続分

法定相続分とは、民法で定められた各相続人の相続分をいいます。

法定相続分は以下のとおりです。なお、同順位に複数の相続人がいる場合には、相続分を均分します。

チェック

法定相続分

相続人が配偶者のみの場合 → 配偶者がすべて相続

相続人が配偶者と子の場合 → 配偶者：$\frac{1}{2}$　子：$\frac{1}{2}$

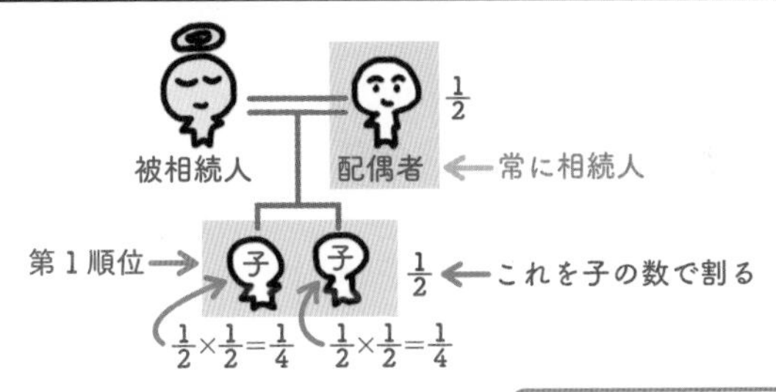

配偶者がいない場合には
子がすべてを相続する

相続人が配偶者と直系尊属の場合→ 配偶者：$\frac{2}{3}$　直系尊属：$\frac{1}{3}$

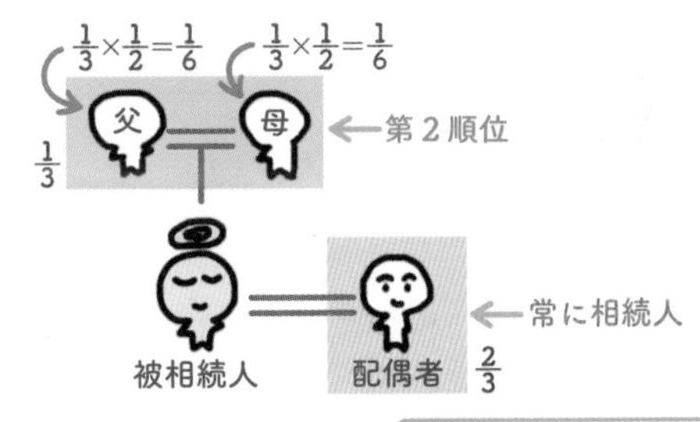

配偶者がいない場合には
直系尊属がすべてを相続する

相続人が配偶者と兄弟姉妹の場合→ 配偶者：$\frac{3}{4}$　兄弟姉妹：$\frac{1}{4}$

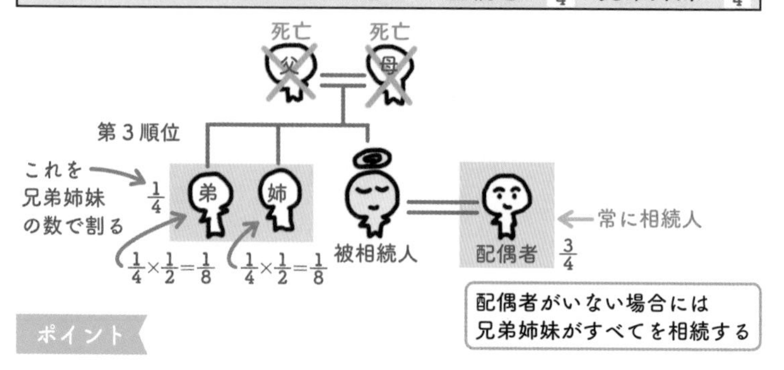

ポイント

✓ **半血兄弟姉妹**（父母の一方のみ同じ兄弟姉妹）**の法定相続分は、全血兄弟姉妹**（父母が同じ兄弟姉妹）**の2分の1になる**

Q　H24－問10③改

前提　Aは未婚で子供がなく、父親Bが所有する甲建物にBと同居している。Aの母親Cはすでに死亡している。AにはBとCの実子である兄Dがいて、DはEと婚姻して実子Fがいたが、Dはすでに死亡している。

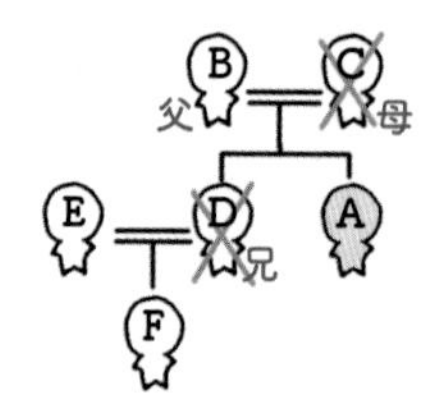

この場合において、Aが死亡した場合の法定相続分は、Bが4分の3、Fが4分の1である。

A　Aには配偶者も子もないため、直系尊属（B）のみが相続人となる。この場合、Bがすべてを相続する。　×

④ 相続の承認と放棄

相続人は、被相続人の財産を相続するかどうかを選択することができます。

民法では、単純承認（被相続人のすべての資産および負債を承継すること）が原則ですが、限定承認や相続の放棄も認められています。

相続の承認と放棄

単純承認【原則】	被相続人の財産（資産および負債）をすべて承継すること ポイント ・（自己のために）相続の開始があったことを知った日から3カ月以内に、下記の放棄や限定承認を行わなかった場合等には、単純承認したものとみなされる
限定承認	相続によって取得した被相続人の資産（プラスの財産）の範囲内で、負債（マイナスの財産）を承継すること → プラスの財産の限度でマイナスの財産を返済しますよ、ということ ポイント ・（自己のために）相続の開始があったことを知った日から3カ月以内に、家庭裁判所に申し出る ・相続人全員で申し出る必要がある
相続の放棄	被相続人の財産（資産および負債）をすべて承継しないこと ポイント ・（自己のために）相続の開始があったことを知った日から3カ月以内に、家庭裁判所に申し出る ・相続人全員で申し出る必要はない（単独でできる） ・放棄をした場合には、代襲相続は発生しない

⑤ 遺言

遺言（いごん）とは、生前に自分の意思を、法定の方式にしたがって表示しておくことをいいます。

遺言（普通方式遺言）には、自筆証書遺言、公正証書遺言、秘密証書遺言の3種類があります。

⑥ 遺留分

遺言によって、被相続人の全財産を特定の人に遺贈することができますが、そうすると残された家族には何も財産が残らなくなります。

そこで、民法では、相続人のうち一定の者が最低限の財産を受け取れるように配慮されています。この、一定の相続人に最低限保障された取り分を**遺留分**（いりゅうぶん）といいます。

遺留分の割合は、原則として遺留分を算定するための財産の価額の２分の１（相続人が直系尊属のみのときは３分の１）となります。

ひとこと

全体の遺留分に各人の法定相続分を掛けて、各人の遺留分を計算します。したがって、たとえば、被相続人がA、相続人が配偶者（B）と子２人（C、D）の場合、各人の遺留分は次のようになります。

❶全体の遺留分：$\frac{1}{2}$

❷配偶者Bの遺留分：$\frac{1}{2}\times\frac{1}{2}=\frac{1}{4}$

子C、Dの遺留分：$\frac{1}{2}\times\frac{1}{2}\times\frac{1}{2}=\frac{1}{8}$

なお、兄弟姉妹には遺留分はありません。

共　有

★SECTION18はこんな話★

ＡとＢが250㎡の土地をそれぞれ所有している場合と、500㎡の土地を共有している場合とでは、法律関係は大違いです。前者は、それぞれ単独所有なので、各自で自由に土地を使えますが、後者の「共有」は、他の共有者との関係で利用に制約が出てきます。

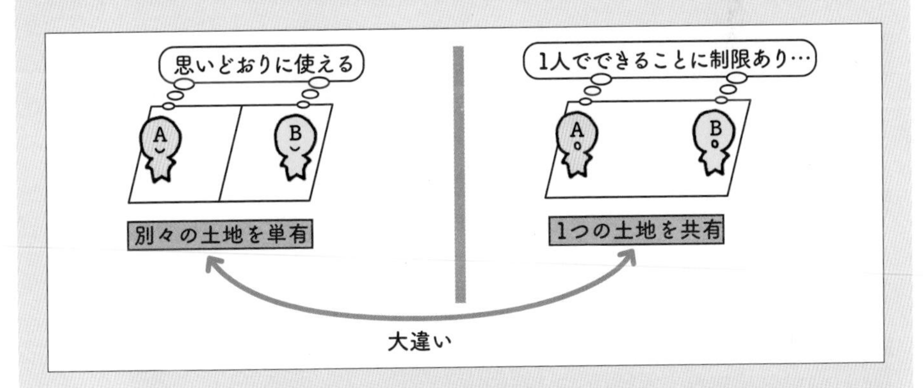

たとえば、２人で１筆の土地を購入した場合や、相続があったときなどに、「Ａ３分の１、Ｂ３分の２の持分割合で共有」といった話がでてきます。

1 共有と持分

Ⅰ 共有とは

共有（きょうゆう）とは、１つの物を２人以上で共同して所有することをいいます。

Ⅱ 持分とは

持分（もちぶん）とは、各共有者の、共有物に対する所有権割合をいいます。

2 共有物の使用・管理等

Ⅰ 共有物の使用

共有者は、共有物の全体を、持分に応じて使うことができます。

Ⅱ 共有物の管理等

共有物の保存行為（共有物の修繕など）は、共有者が単独で行うことができますが、管理行為や変更行為・処分行為は単独で行うことはできません。

Ⅲ 管理費等

共有物の管理費等は、各共有者が持分に応じて負担します。なお、ある共有者が管理費等を**1年以上**滞納した場合には、他の共有者は、相当の償金を支払って、この滞納共有者の持分を取得することができます。

3 共有物の分割

共有物の分割とは、共有物を分けることをいい、各共有者は、原則としていつでも共有物の分割を請求することができます。

なお、共有者全員の意思によって、**5年間を限度**として共有物を分割しない特約を結ぶこともできます。

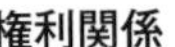

区分所有法

★SECTION19はこんな話★

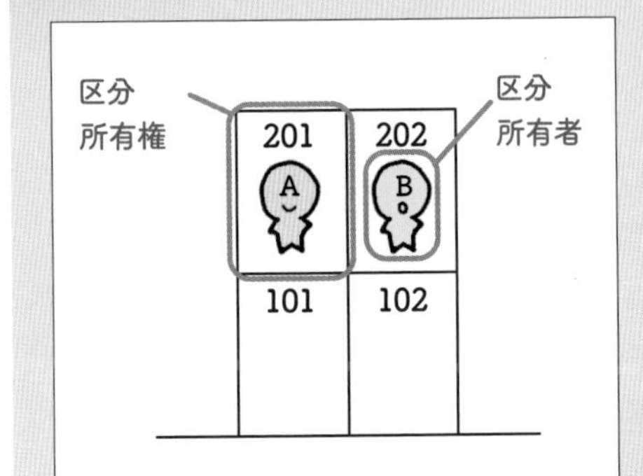

区分所有法（建物の区分所有等に関する法律）は、ひと言でいうと、分譲マンション（区分所有建物）に関する法律です。
「１棟の建物の一部」は、本来それ自体を所有することはできませんが、この法律によって、たとえばマンションの一室など（専有部分）を所有権（区分所有権）の対象として、そこから生じるルールについて定めています。

細かい話も多いですが、毎年必ず１問出題される科目です。

1 専有部分と共用部分

I 共用部分の使用

マンションは、専有部分と共用部分の２つで構成されています。

専有部分と共用部分

専有部分	区分所有権の対象となる、建物の部分（構造上区分された部分） 例：マンションの一室（305 号室など）
共用部分	専有部分以外の部分で、区分所有者が共同で使う部分 例：エントランス、エレベーター、階段、廊下など

II 共用部分の共有、持分

共用部分は、原則として区分所有者が全員で共有します。また、持分は、専有部分の床面積（壁その他の区画の内側線で囲まれた部分の水平投影面積）の割合で決まります。

III 共用部分の費用負担

共用部分に関する費用は、規約に別段の定めがない限り、区分所有者がその持分に応じて負担します。

IV 共用部分の管理・変更行為等

共用部分について、管理行為や変更行為等を行うには、原則として、集会の決議が必要です。

ひとこと

保存行為（廊下の電球を取り換えるなど）については、各区分所有者が単独で行うことができます。

② 敷地利用権

マンションを所有するには、その下にある敷地を利用する権利が必要です。この権利を敷地利用権といいます。

区分所有者は、原則として専有部分とそれに係る敷地利用権を分離して処分することはできません（例外的に、規約に別段の定めがある場合には、専有部分と分離して処分することができます）。

③ 管 理

Ⅰ 管理組合

管理組合は、マンションの管理をするための団体のことをいいます。マンションを買うと、区分所有者はなんら手続を経ることなく管理組合の構成員となります。

ひとこと

区分所有者は管理組合の構成員となりますが、賃借人（マンションを借りている人）は管理組合の構成員とはなりません。

Ⅱ 管理者

マンションの管理は管理組合によって行われますが、必要があれば（規約に別段の定めがない限り）、集会の決議によって管理者を置くことができます。

④ 規 約

Ⅰ 規約とは

規約とは、区分所有者が決めたマンションの利用・管理に関するルールをいいます。

Ⅱ 規約の設定・変更・廃止

規約の設定・変更・廃止には、区分所有者および議決権の**各4分の3以上**の集会による決議が必要です。

なお、規約の設定・変更・廃止によって、特別の影響を受ける者がいる場合には、この者の承諾を得なければなりません。

規約は、原則として区分所有者がマンション購入後に設定するものですが、最初に専有部分の全部を所有する者（分譲会社など）は、公正証書によって、あらかじめ一定の項目について規約を設定することができます。

5 集 会

Ⅰ 集会の招集

集会の招集については、以下のような決まりがあります。

チェック

集会の招集

集会の招集

管理者がいるとき	管理者がいないとき
① 管理者は少なくとも毎年1回、集会を招集しなければならない 管理者が集会を招集しない場合は… ② **区分所有者の5分の1以上**で、**議決権の5分の1以上**を有する者は、管理者に対して、会議の目的たる事項を示して集会の招集を請求することができる この定数は規約で減ずることができる	**区分所有者の5分の1以上**で、**議決権の5分の1以上**を有する者は、集会を招集することができる この定数は規約で減ずることができる

覚え方 集会にいこー、いこー（$\frac{1}{5}$、$\frac{1}{5}$）

招　集　通　知

この期間は、規約で伸ばすことも、縮めることもできる

☆ 集会の招集通知は、少なくとも**会日の1週間前**に、会議の目的である事項を示して、各区分所有者に発しなければならない

↓ただし！

☆ **建替え決議**が会議の目的である場合は、少なくとも**会日の2カ月前**に招集通知を発しなければならない

この期間は、規約で伸ばすことはできるが、縮めることはできない

招集手続の省略

☆ 区分所有者の**全員**の同意があれば、招集手続を省略することができる

Q　H20－問15①

管理者は、少なくとも年2回集会を招集しなければならない。また、区分所有者の5分の1以上で議決権の5分の1以上を有するものは、管理者に対し、集会の招集を請求することができる。

A　「年2回」ではなく「**年1回**」である。

×

Ⅱ　集会の決議

集会では、招集通知によって、原則としてあらかじめ通知された事項のみ決議することができます。

集会の決議は、原則として、区分所有者および議決権の**各過半数**で行います。

不動産登記法

★SECTION20はこんな話★

土地や建物は目に見えても、「そこにどんな権利があるのか」は、目に見えません。Aが土地を売っていても、実はXの土地だったり、その土地にはYの抵当権が設定されているかもしれません。こうした権利を、物理的な現況とともに表示して可視化したのが「不動産」の「登記」です。

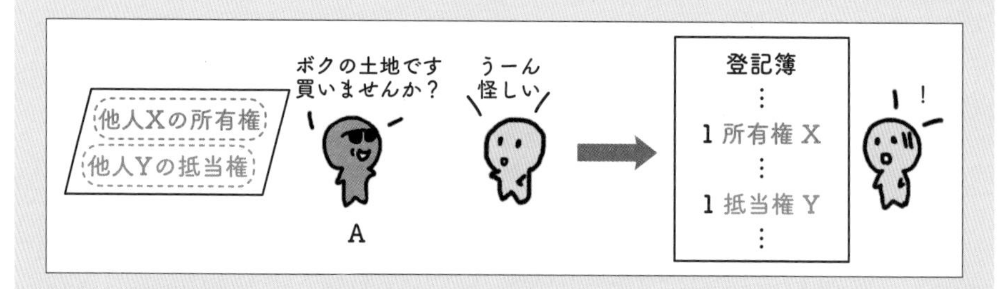

安全で円滑な不動産取引のためには、登記の存在が欠かせません。
ここも毎年1問出題されています。

① 登記記録

登記は、登記官が登記簿（登記記録が記載されている帳簿）に一定事項を記録することによって行います。

ひとこと

登記簿は、以前は紙で作られていましたが、現在は電子計算機に備えられたファイルや電磁的記録媒体によって作られています。

登記記録は、一筆（いっぴつ）の土地または1個の建物ごとに作成される電磁的記録で、表題部と権利部に区別されています。また、権利部はさらに甲区と乙区に区別されています。

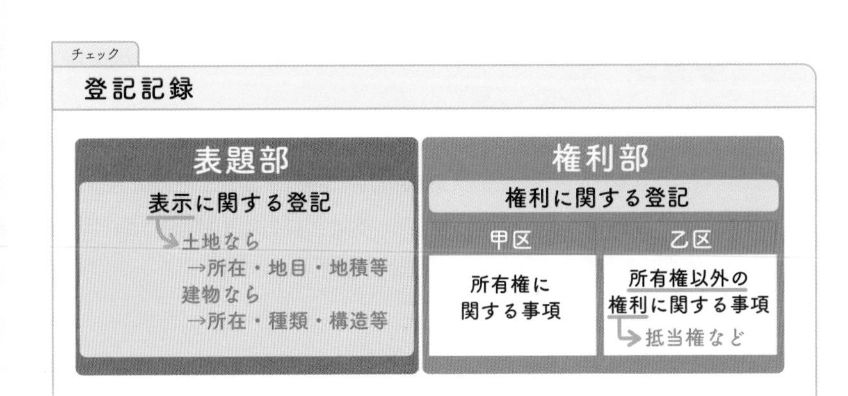

② 登記の申請手続

I 申請主義

登記は、原則として当事者の申請によって行いますが、表示に関する登記は、登記官が職権で行うことができます。

Ⅱ 登記の申請方法

登記の申請は、❶（インターネット等を使用した）**オンライン申請**または❷**書面**（磁気ディスクを含む）**を登記所に提出する方法**のいずれかによって、申請情報を登記所に提供して行います。なお、申請情報とあわせて提供しなければならない情報（添付情報）もあります。

③ 登記事項証明書等の交付

登記情報（登記事項証明書等）は、原則として誰でも、手数料を納付すれば、オンラインまたは書面で交付の請求をすることができます。

④ 仮登記

Ⅰ 仮登記とは

仮登記は、「要件がそろっていないため、本登記はまだできないけど、本登記の順位を確保しておきたい」というときに行う登記をいいます。

仮登記によって、本登記の順位を確保することができますが、仮登記には対抗力はありません。

Ⅱ 仮登記ができる場合

仮登記は次の場合に行うことができます。

仮登記ができる場合

❶ 登記を申請するために必要な情報を、登記所に提供できないとき
❷ 権利の変動はまだ生じていないが、将来生じる予定があり、その請求権を保全しようとするとき

入門講義編

CHAPTER 03

法令上の制限

都市計画法

★SECTION01はこんな話★

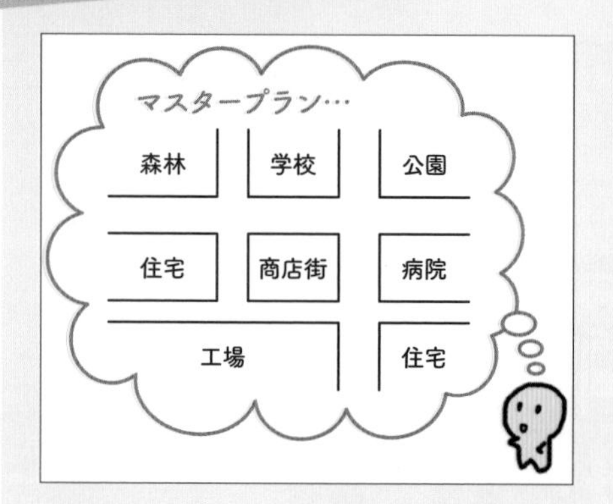

駅の周りの開発やショッピングモールの建築現場を見たことがある人は多いかと思います。これは「ちょっと建てたくなったから」というわけではありません。きちんと、「都市計画」というものに基づいて行われています。住みやすい街をつくるために、色々な区分けと制限を設けようという分野です。

都市計画法は街づくりの法律です！

1 都市計画区域

住みよい街をつくるために最初に行うのは、「どの区域について街づくりをするか」を決め、区域を指定することです。この指定された区域を**都市計画区域**といい、都市計画法は原則として都市計画区域内のみに適用されます。

なお、都市計画区域は、複数の市町村・都府県にわたって指定することもできます。

都市計画区域の指定は、原則として**都道府県**が行いますが、複数の都府県にまたがって都市計画区域を指定する場合は、**国土交通大臣**が行います。

すべての都市計画区域について、都市計画に**マスタープラン**（都市計画区域の整備、開発および保全の方針）が定められます。

2 準都市計画区域

都市計画区域外の区域には、原則として都市計画法は適用されません。しかし、都市計画区域外だからといって、放置しておくと将来の街づくりに問題が生じるおそれがある区域もあります。そこで、そのような区域を**準都市計画区域**に指定し、必要な規制をかけられるようにしています。

チェック

準都市計画区域の指定

ポイント
準都市計画区域は都市計画区域**外**の区域に指定される

❶ 都道府県が、関係市町村および都道府県都市計画審議会の意見を聴き…
↓
❷ **都道府県**が準都市計画区域を**指定**

3 区域区分

区域区分（くいきくぶん）とは、計画的に街をつくるため、都市計画区域を**市街化区域**と**市街化調整区域**に分けることをいいます。また、都市計画区域を市街化区域と市街化調整区域に分けることを**線引き**（せんびき）といいます。

チェック

区域区分

市街化区域	❶ すでに市街地を形成している区域 ❷ おおむね10年以内に優先的かつ計画的に市街化を図るべき区域 にぎやかな場所
市街化調整区域	市街化を抑制すべき区域 のどか～な場所

ポイント

- ✓ 区域区分は必要があるときに、都道府県が定めることができる
  - →（つまり）必ず定めなくてはならないわけではない！
- ✓ 区域区分を定めない都市計画区域を非線引き区域（非線引き都市計画区域）という

Q H23－問16④

都市計画区域については、無秩序な市街化を防止し、計画的な市街化を図るため、都市計画に必ず市街化区域と市街化調整区域との区分を定めなければならない。

A 区域区分は「必要があるときに」定めることができる。 ×

4 地域地区

I 地域地区

地域地区は、土地の利用目的を決めて、それに沿った街づくりをする都市計画をいいます。

地域地区は、用途地域（ようとちいき）（基本的地域地区）と補助的地域地区に区分されます。

本書では、用途地域について、みていきます。

Ⅱ 用途地域

1 用途地域とは

用途地域とは、建物の用途や建蔽(べい)率、容積率などを規制する地域をいいます。

住居系	
第一種低層住居専用地域	低層住宅に係る良好な住居の環境を保護するため定める地域 ☆ **閑静な住宅街**
第二種低層住居専用地域	主として低層住宅に係る良好な住居の環境を保護するため定める地域 ☆ **閑静な住宅街&コンビニなどの小さい店舗もあり**
田園住居地域	農業の利便の増進を図りつつ、これと調和した低層住宅に係る良好な住居の環境を保護するために定める地域 ☆ **低層住居専用地域をベースに、農業用施設の立地を限定的に可能とする地域**
第一種中高層住居専用地域	中高層住宅に係る良好な住居の環境を保護するため定める地域 ☆ **3階建て以上の中高層マンションがある地域**
第二種中高層住居専用地域	主として中高層住宅に係る良好な住居の環境を保護するため定める地域 ☆ **マンション&大きめの事務所などがある地域**
第一種住居地域	住居の環境を保護するため定める地域 ☆ **住居と中規模の店舗**(スーパー、ホテルなど)**がある地域**
第二種住居地域	主として住居の環境を保護するため定める地域 ☆ **第一種住居地域よりも店舗や事務所が多め。パチンコ屋、カラオケボックスなどもある**
準住居地域	道路の沿道として、地域の特性にふさわしい業務の利便の増進を図りつつ、これと調和した住居の環境を保護するため定める地域 ☆ **幹線道路沿いの地域。自動車のショールームなどがある**

商業系	
近隣商業地域	近隣の住宅地の住民に対する日用品の供給を行うことを主たる内容とする商業その他の業務の利便を増進するため定める地域 ☆ いわゆる商店街
商業地域	主として商業その他の業務の利便を増進するため定める地域 ☆ 都心部の繁華街やオフィスビル街

工業系	
準工業地域	主として環境の悪化をもたらすおそれのない工業の利便を増進するため定める地域 ☆ 町工場など
工業地域	主として工業の利便を増進するため定める地域 ☆ 準工業地域よりも工場多め
工業専用地域	工業の利便を増進するため定める地域 ☆ 港のコンビナートなど

2 用途地域に関する都市計画に定める事項

用途地域に関する都市計画には、以下の事項を定めます。

チェック

用途地域に関する都市計画に定める事項

必ず定める事項

- ☆ 建築物の容積率 ← すべての用途地域
- ☆ 建築物の建蔽率 ← 商業地域以外
- ☆ 建築物の高さの限度 ← 第一種・第二種低層住居専用地域・田園住居地域のみ

必要に応じて定める事項

- ☆ 敷地面積の最低限度 ← すべての用途地域
- ☆ 外壁の後退距離の限度 ← 第一種・第二種低層住居専用地域・田園住居地域のみ

5 開発許可❶　全体像

I 開発許可

開発行為を行おうとする場合、原則として都道府県知事の許可（開発許可）が必要となります。

II 用語の意味

開発許可に関する用語の意味は次のとおりです。

チェック

用語の意味

開発行為とは？

主として、建築物の建築または特定工作物の建設の用に供する目的で行う土地の区画形質の変更

← 建物を建てる等の目的で土地を整備すること（地ならし）

特定工作物とは？

第一種特定工作物	コンクリートプラント、アスファルトプラントなど
第二種特定工作物	☆ ゴルフコース ← これは1ha未満でも特定工作物に該当する！ ☆ 1ha以上の運動・レジャー施設 ← 野球場、庭球場、遊園地など ☆ 1ha以上の墓園

だから「1ha未満の野球場を建設するための、土地の区画形質の変更」などは、開発行為に該当しないため、開発許可は不要となる

III 開発許可が不要となる場合

次の開発行為については、開発許可が不要となります。

チェック

開発許可が不要となる場合

グループA 小規模な開発行為

次の規模未満の開発行為

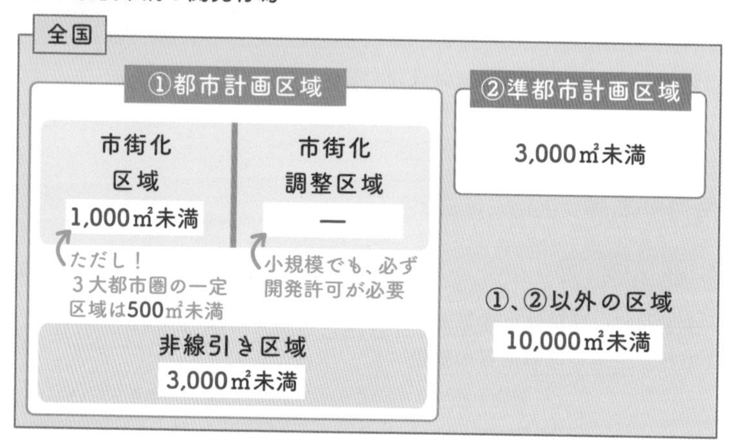

グループB 農林漁業用の建築物

市街化区域以外の区域内において行う、次の開発行為

☆ 農林漁業用の一定の建築物を建築するために行う開発行為
　畜舎（牛小屋とか）、温室（ビニールハウス）、サイロ、農機具収納施設など

☆ 農林漁業を営む者の居住用建築物を建築するために行う開発行為

グループC その他

☆ 公益上必要な建築物を建築するための開発行為
　駅舎、図書館、公民館など

☆ 都市計画事業、土地区画整理事業、市街地再開発事業、住宅街区整備事業、防災街区整備事業の施行として行う開発行為

☆ 非常災害のため必要な応急措置として行う開発行為

☆ 通常の管理行為、軽易な行為等

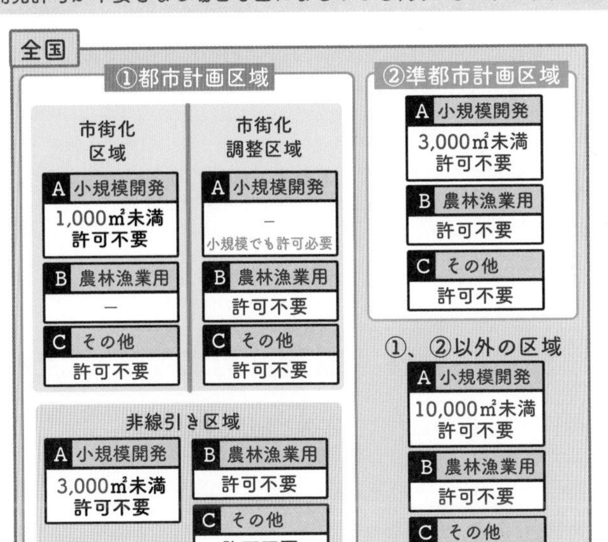

チェック

開発許可の要否の判定

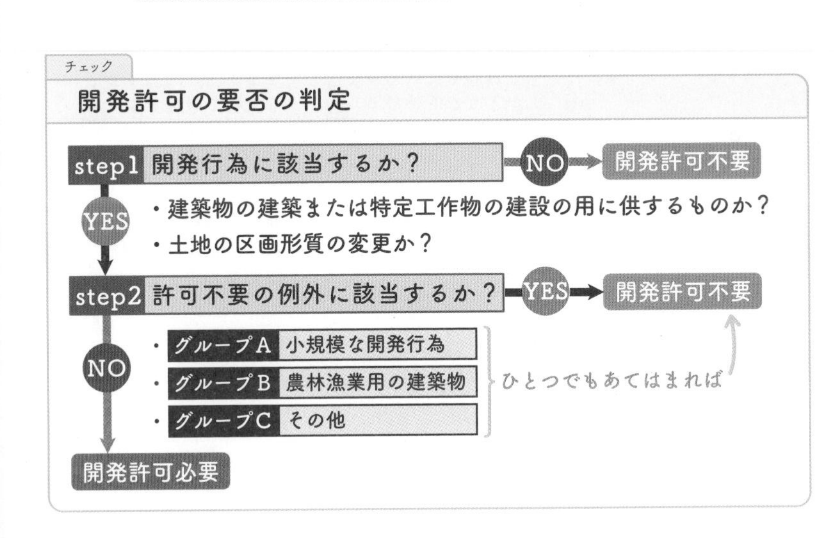

Q　H25－問16④

非常災害のため必要な応急措置として行う開発行為であっても、当該開発行為が市街化調整区域において行われるものであって、当該開発行為の規模が3,000㎡以上である場合は、開発許可が必要である。

A　非常災害のため必要な応急措置として行う開発行為については、区域・規模にかかわらず、開発許可は不要である。　×

⑥ 開発許可❷　開発許可の手続の流れ

開発許可の手続の流れは、次のとおりです。

開発許可の手続の流れ

開発許可の申請 → 許可・不許可の審査 → 許可・不許可の処分 → 不服申立て等

- **開発許可の申請**（A）：開発許可を受けようとする人は書面で申請する
- **許可・不許可の審査**（B）：都道府県知事は、開発許可の基準に照らし合わせて許可するかどうかを決める
- **許可・不許可の処分**（C）：都道府県知事は、申請者に対して、許可するか、許可しないかを文書で通知する
- **不服申立て等**（D）：処分に不服がある人は一定の手続を経て不服申立てを行う

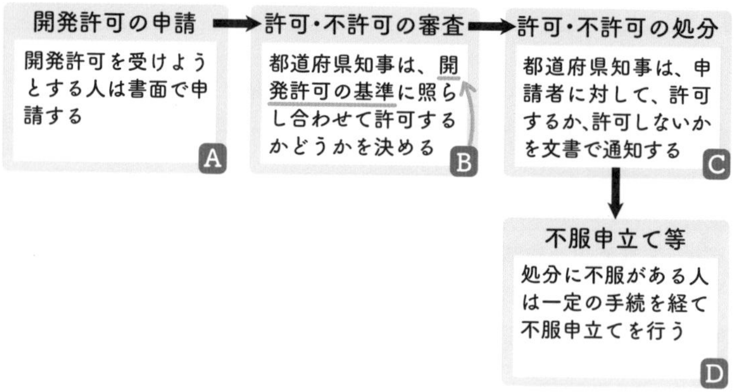

A 開発許可の申請

開発許可の申請は、次の手順で行います。

チェック

開発許可の申請

step1 事前手続

開発許可を申請しようとする者は、あらかじめ次の協議・同意が必要となる

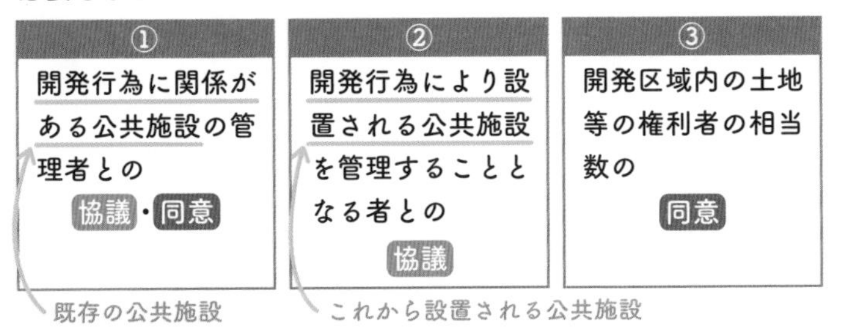

step2 申請書の提出

一定事項を記載した開発許可申請書を都道府県知事に提出する

- 開発区域の位置、区域、規模
- 予定建築物等の用途
- 開発行為に関する設計
- 工事施行者 など

B 許可・不許可の審査（開発許可の基準）

都道府県知事は、開発許可の基準に照らし合わせて、許可・不許可を決定します。

開発許可の基準には、すべての区域について適用される基準と、市街化調整区域について適用される基準があります。

C 開発許可・不許可の処分

都道府県知事は、開発許可の申請があったときは、遅滞なく、許可または不許可の処分を文書によってしなければなりません。

また、都道府県知事は、用途地域が定められていない区域における開発行為について開発許可をする場合、（必要ならば）当該開発区域内について、建

築物の建蔽率等の制限を定めることができます。

D 不服申立て等

開発許可制度に関する処分に不服がある場合には、**開発審査会**に対して審査請求（不服申立て）をすることができます。

7 開発許可❸ 開発許可が出たあとの手続の流れ

開発許可が出たあとの手続の流れは、次のとおりです。

チェック

開発許可が出たあとの手続の流れ

開発許可

↓

開発登録簿に登録

都道府県知事は、開発許可をしたときは、一定の事項を開発登録簿に登録する

・開発許可の年月日・建築物等の用途・公共施設の種類、位置、区域　など

↓

開発行為

開始！

変更の許可等

開発許可を受けた者が開発許可申請書に記載した事項を変更するときは…

原則

都道府県知事の許可が必要

例外

次の場合には変更の許可は不要

❶ 軽微な変更 → ただし！ 届出が必要

❷ 開発許可を要しない開発行為への変更 → 許可も届出も不要

開発行為の廃止

開発許可を受けた者は、当該工事を廃止したときは、遅滞なく、都道府県知事に届け出なければならない

地位の承継

【一般承継の場合】

開発許可を受けた者の相続人等は、なんら手続をすることなく、開発許可にもとづく地位を承継する

【特定承継の場合】

開発許可を受けた者から開発区域内の土地の所有権その他開発行為に関する工事を施行する権原を取得した者は、都道府県知事の承認を受けて、開発許可にもとづく地位を承継することができる

終了！

工事完了の届出

開発許可を受けた者は、工事が完了したら都道府県知事に届け出る

完了検査、公告

都道府県知事は、

1. 遅滞なく、工事が開発許可の内容に適合しているかを**検査**する
2. 検査がOKなら、**検査済証**を交付し、遅滞なく、工事完了の**公告**を行う

建築基準法

★SECTION02はこんな話★

建築計画のお知らせ				
建築物の名称		宅建計画新築工事		
建築敷地の地名地番		東京都○○区○○1丁目○○-○○		
建築物の概要	用　途	事務所・店舗	敷地面積	12,500.00㎡
	建築面積	10,000.00㎡	延べ面積	150,000.00㎡
	構　造	RC造・SRC造	基礎工法	○○基礎
	階　数	地上13階／地下2階	高さ	72m

建築基準法は、読んで字のごとく建物の基準について規定しています。頑張って作った都市計画で、せっかく住みやすい街の構想ができたのに、みんなが自分勝手に建物を建てては元も子もないですからね。みんなが守らないといけない基準は、大きく分けると単体規定と集団規定の２種類があります。

単体規定は、構造、防火・避難、衛生などがあり、
集団規定は、道路、用途制限、建蔽率、容積率などがあります。

1 建築基準法の全体像

I 建築基準法の目的

建築基準法は、国民の生命、健康、財産の保護を図るため、建築物の敷地、構造、設備、用途に関する最低基準を定めた法律です。

II 建築基準法の内容

建築基準法の主な内容は次のとおりです。

チェック

建築基準法の内容

ⓐ 単体規定
…個々の建築物に必要な基準。全国どこでも適用される
→ たとえば 居室には窓が必要だよ、とか…

ⓑ 集団規定
…秩序ある都市の形成に沿った建築物が建てられるようにするための基準。原則として、都市計画区域内&準都市計画区域内のみ適用される

ⓒ 建築確認
…工事が法令等に適合しているかをチェックするシステム

ⓓ 建築協定
…土地所有者等によって締結される契約。建築基準法よりも厳しい基準を定めることができる

III 建築基準法が適用されない建築物

国宝や重要文化財等に指定された建築物（仮指定されたものを含む）については、建築基準法は適用されません。

ひとこと

ちなみに、建築基準法の施行・改正時にすでに存在していた建築物については、建築基準法の施行・改正によって、規定に適合しない建築物となってしまった場合でも、それは違反建築物には該当しません（建築基準法に適合していないからといって壊す必要はありません）。一般的にこのような建築物を「既存不適格建築物」といいます。

② 単体規定

単体規定は、個々の建築物が満たすべき基準で、（都市計画区域内かどうかにかかわらず）全国の建築物に適用される規定です。

I 構造について

1 構造耐力

建築物は、さまざまな重さ、圧力、地震等の振動、衝撃に耐えられる、安全な構造にしなければなりません。

また、一定の大規模建築物の構造方法は、一定の基準に従った構造計算によって安全性が確認されたものでなければなりません。

2 大規模建築物の主要構造部等

次の建築物については、一定の基準に適合していなければなりません。

チェック

大規模建築物の主要構造部等

※ いずれも床・屋根・階段を除く一定の主要構造部の全部または一部に、木材、プラスチックその他の可燃材料を用いたものに限る

対象となる建築物※	主要構造部等が適合すべき基準
❶ 4階建て以上（地階を除く） ❷ 高さが16m超 ❸ 倉庫・自動車車庫等で高さが13m超	特定主要構造部を通常火災終了時間が経過するまでの間、その火災による倒壊・延焼を防止するための一定の技術的基準に適合し、国土交通大臣が定めた構造方法を用いるもの等とする  その周囲に一定の基準に適合した延焼防止上有効な空き地がある場合は除く
延べ面積が3,000㎡超の建築物	壁、柱、床その他の建築物の部分、または防火戸その他の政令で定める防火設備を、通常の火災時における火熱が当該建築物の周囲に防火上有害な影響を及ぼすことを防止するための一定の技術的基準に適合し、国土交通大臣が定めた構造方法を用いるもの等とする

※ これらの基準の適用上、一の建築物であっても、火熱遮断壁等で区画すれば、それぞれ別の建築物とみなされる

ひとこと

主要構造部とは、壁、柱、床、屋根、階段、はりのことをいいます。
また、特定主要構造部とは、主要構造部のうち、防火上および避難上支障がないものとして政令で定める部分以外の部分（つまり、主要構造部のうち損傷を許容しない部分で、耐火構造等とされる部分）をいいます。

Ⅱ 防火・避難について

防火・避難に関する規定では、次の点をおさえておきましょう。

チェック

防火・避難について

一定の主要構造部のうち、床、屋根、階段以外の部分が木材、プラスチックその他の可燃材料で作られたもの

1 大規模な木造建築物等の外壁等

延べ面積が1,000㎡超の木造建築物等は…

→外壁、軒裏で延焼のおそれがある部分を防火構造とし、

→屋根の構造を火災に関する性能について一定の技術的基準に適合するもので、国土交通大臣の認定を受けたもの等にしなければならない

2 防火壁・防火床

延べ面積が1,000㎡超の建築物は…

耐火建築物または準耐火建築物等を除く

→原則として、防火上、有効な構造の防火壁・防火床によって有効に区画し、各床面積の合計をそれぞれ1,000㎡以内にしなければならない

3 避雷設備

高さが20m超の建築物には、有効な避雷設備を設けなければならない

4 非常用の昇降機

高さが31m超の建築物には、非常用の昇降機を設けなければならない

エレベーター

耐火構造と防火構造、とってもよく似ていますが…。耐火構造というのは、建物の内部で火災が起きたときに、建物が燃えて倒壊したり、周囲に火が広がらないような構造をいいます。一方、防火構造というのは、建物の外部で火災が起きたときに、建物の内部に火が広がらないような構造をいいます。

III　衛生について

居室の採光や換気等、衛生に関する規定では、次の点をおさえておきましょう。

チェック

衛生について

1 居室の採光、換気

☆ 住宅の居室、学校の教室、病院の病室などには、原則として採光のための**一定面積**の窓その他の開口部を設けなければならない

住宅の場合… 採光に有効な部分の面積＝居室の床面積×$\frac{1}{7}$　以上

住宅以外の場合… 採光に有効な部分の面積＝居室の床面積×一定割合 以上（一定割合：$\frac{1}{5}$〜$\frac{1}{10}$）

☆ 居室には、原則として換気のための**一定面積**の窓その他の開口部を設けなければならない

換気に有効な部分の面積＝居室の床面積×$\frac{1}{20}$　以上

覚え方　居室は最高にいいな、換気に十分気をつけて
（最高＝採光、いいな＝$\frac{1}{7}$、十分＝20分（の1））

2 石綿その他の物質の飛散・発散に対する衛生上の措置

建築物は、石綿（アスベスト）その他の物質の建築材料からの飛散・発散による衛生上の支障がないよう、**下記の基準**に適合するものでなければならない

1. 建築材料に石綿等を添加しないこと
2. 石綿等をあらかじめ添加した建築材料（一定のものを除く）を使用しないこと
3. 居室のある建築物では、①②のほか、石綿等以外の物質で、居室内において衛生上の支障を生ずるおそれがあるものとして政令で定める物質の区分に応じて、建築材料および換気設備について政令で定める技術的基準に適合すること

（政令で定める物質…とは？）クロルピリホス、ホルムアルデヒド

3 地階における住宅等の居室

住宅の居室、学校の教室、病院の病室などで、地階に設けるものは壁および床の防湿の措置その他の事項において衛生上必要な政令で定める技術的基準に適合するものでなければならない

4 便　所

下水道法に規定する処理区域内においては、便所は、一定の水洗便所とする

③ 集団規定の全体像

集団規定は、原則として都市計画区域および準都市計画区域内において適用されます。

集団規定の適用範囲

原 則

都市計画区域および準都市計画区域内

例 外

都市計画区域および準都市計画区域外であっても、都道府県知事が関係市町村の意見を聴いて指定する区域内においては、地方公共団体は、条例で、一定の事項（道路に関する制限、建蔽率、容積率、建築物の高さ、斜線制限、日影規制）について、必要な制限を定めることができる

集団規定の主な内容は次のとおりです。

集団規定の主な内容

❶ 道路に関する制限
❷ 用途制限
❸ 建蔽率
❹ 容積率
❺ 高さ制限（斜線制限、日影規制）
❻ 低層住居専用地域等内の制限
❼ 防火・準防火地域内の制限
❽ 敷地面積の最低限度

4 集団規定❶ 道路に関する制限

I 建築基準法上の道路

建築基準法では、道路を次のように定義しています。

チェック

建築基準法上の道路

原則

幅員４m以上の道路法による道路など

火災のときなどに消防活動がスムーズにできるように、一定の広さが必要

例外

集団規定が適用されることとなった時、すでに存在し、現に建築物が立ち並んでいる幅員が４m未満の道で、特定行政庁が指定したもの

「２項道路」という

ひとこと

特定行政庁とは、建築申請の確認をしたり、違反建築に対して是正命令を出すなど、建築全般を司る機関をいいます。建築主事(けんちくしゅじ)または建築副主事を置く市町村では市町村長が、それ以外の市町村では都道府県知事が特定行政庁となります。

なお、建築主事とは、建築確認等の事務を行う公務員をいいます。政令で指定する人口25万人以上の市と都道府県については建築主事を置かなければなりませんが、それ以外の市町村は建築主事を置くかどうかは任意です。

また、建築副主事とは、建築確認等の事務のうち大規模建築物に係るもの以外を行う資格を有する者で、建築主事を置いた市町村または都道府県に置くことができます。

Q H23－問19②

建築基準法が施行された時点で現に建築物が立ち並んでいる幅員4m未満の道路は、特定行政庁の指定がなくとも建築基準法上の道路となる。

A 特定行政庁の指定がなければ2項道路とならない。 ×

Ⅱ 接道義務

建築物の敷地は、原則として、建築基準法上の道路(幅員4m以上の道路や2項道路)に2m以上接していなければなりません。

チェック

接道義務

原則

建築物の敷地は建築基準法上の道路に2m以上接していなければならない

↓ ただし 自動車専用道路等は除く

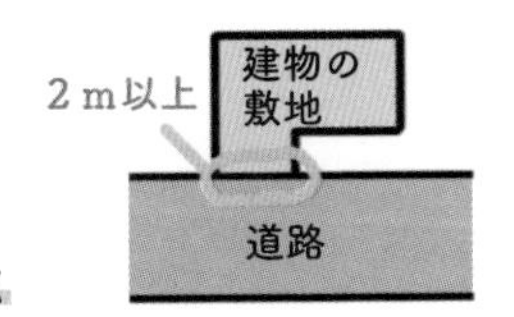

例外的に道路に2m以上接してなくてよい場合がいくつかあります。

5 集団規定❷　用途制限

I　用途制限とは

市街化区域には必ず用途地域（住居系・商業系・工業系）が定められます。そして、建築基準法ではそれぞれの用途地域に「この地域には病院を建築してもいい」とか「この地域には工場を建築してはダメ」といった、建築物の制限を設けています。

なお、神社・寺院・教会、保育所・診療所・公衆浴場、巡査派出所・公衆電話所などは全部の用途地域で建築することができます。

ひとこと

次のページの表が用途地域別の用途制限となります。試験では頻出の内容ですが、全部覚えるのは難しいですし、成果が労力に見合わないので、問題集を解いていて、出てきたところを中心にチェックすればいいかと思います。

また、用途制限によって建築することができない建築物であっても、一定の要件を満たして特定行政庁が許可（特例許可）した場合には、建築することができます。

【用途地域内の用途制限】

●…建築できる　×…原則建築できない

建築物の用途 ＼ 用途地域		住居系								商業系		工業系		
		第一種低層住居専用	第二種低層住居専用	田園住居	第一種中高層住居専用	第二種中高層住居専用	第一種住居	第二種住居	準住居	近隣商業	商業	準工業	工業	工業専用
全部●	・神社、寺院、教会 ・保育所、診療所、公衆浴場 ・巡査派出所、公衆電話所	●	●	●	●	●	●	●	●	●	●	●	●	●
住宅	住宅、共同住宅、寄宿舎、下宿	●	●	●	●	●	●	●	●	●	●	●	●	×
住宅	兼用住宅で、非住宅部分の床面積が、50㎡以下かつ建築物の延べ面積の2分の1未満のもの	●	●	●	●	●	●	●	●	●	●	●	●	×
教育	幼稚園、小学校、中学校、高等学校	●	●	●	●	●	●	●	●	●	●	●	×	×
教育	大学、高等専門学校、専修学校	×	×	×	●	●	●	●	●	●	●	●	×	×
教育	図書館	●	●	●	●	●	●	●	●	●	●	●	●	×
教育	自動車教習所	×	×	×	×	×	▲1	●	●	●	●	●	●	●
教育		▲1…3,000㎡以下												
医療	病院	×	×	×	●	●	●	●	●	●	●	●	×	×
医療	老人ホーム、福祉ホーム	●	●	●	●	●	●	●	●	●	●	●	●	×
店舗・飲食店	一定の店舗・飲食店①（150㎡以下）	×	2F	2F	2F	2F	●	●	●	●	●	●	●	●※1
店舗・飲食店	一定の店舗・飲食店②（150㎡超500㎡以下）	×	×	■1	2F	2F	●	●	●	●	●	●	●	●※1
店舗・飲食店	一定の店舗・飲食店③（500㎡超1,500㎡以下）	×	×	×	×	2F	●	●	●	●	●	●	●	●※1
店舗・飲食店	一定の店舗・飲食店④（1,500㎡超3,000㎡以下）	×	×	×	×	×	●	●	●	●	●	●	●	●※1
店舗・飲食店	一定の店舗・飲食店⑤（3,000㎡超）	×	×	×	×	×	×	●	●	●	●	●	●	●※1
店舗・飲食店	一定の店舗・飲食店⑥（10,000㎡超）	×	×	×	×	×	×	×	×	●	●	●	×	×
店舗・飲食店		2F…2階以下 ※1…物品販売店舗、飲食店を除く ■1…農産物直売所、農家レストラン等のみ。2階以下												
事務所	事務所①（1,500㎡以下）	×	×	×	×	2F	●	●	●	●	●	●	●	●
事務所	事務所②（1,500㎡超3,000㎡以下）	×	×	×	×	×	●	●	●	●	●	●	●	●
事務所	事務所③（3,000㎡超）	×	×	×	×	×	×	●	●	●	●	●	●	●
事務所		2F…2階以下												

建築物の用途＼用途地域		住居系								商業系		工業系		
		第一種低層住居専用	第二種低層住居専用	田園住居	第一種中高層住居専用	第二種中高層住居専用	第一種住居	第二種住居	準住居	近隣商業	商業	準工業	工業	工業専用
ホテル・旅館		×	×	×	×	×	▲1	●	●	●	●	●	×	×
		▲1…3,000㎡以下												
レジャー・娯楽	ボーリング場、スケート場	×	×	×	×	×	▲1	●	●	●	●	●	●	×
	カラオケボックス、ダンスホール	×	×	×	×	×	×	▲2	▲2	●	●	●	▲2	▲2
	麻雀屋、ぱちんこ屋	×	×	×	×	×	×	▲2	▲2	●	●	●	▲2	×
	劇場、映画館、演芸場、観覧場、ナイトクラブ	×	×	×	×	×	×	×	▲3	●	●	●	×	×
	キャバレー、料理店	×	×	×	×	×	×	×	×	×	●	●	×	×
		▲1…3,000㎡以下　▲2…10,000㎡以下 ▲3…客席200㎡未満												
自動車関連	単独車庫（付属車庫を除く）	×	×	×	※3	※3	※3	※3	●	●	●	●	●	●
	自動車修理工場	×	×	×	×	×	◎1	◎1	◎2	◎3	◎3	●	●	●
		※3…300㎡以下かつ2階以下 （または都市計画として決定されたもの） 作業場の床面積 ◎1…50㎡以下、◎2…150㎡以下、◎3…300㎡以下 原動機の制限あり												
工場・倉庫	倉庫業倉庫	×	×	×	×	×	×	×	●	●	●	●	●	●
	自家用倉庫	×	×	■2	×	※4	▲1	●	●	●	●	●	●	●
	危険性や環境を悪化させるおそれが非常に少ない工場	×	×	■3	×	×	◎1	◎1	◎1	◎2	◎2	●	●	●
	危険性や環境を悪化させるおそれが少ない工場	×	×	×	×	×	×	×	×	◎2	◎2	●	●	●
	危険性や環境を悪化させるおそれがやや多い工場	×	×	×	×	×	×	×	×	×	×	●	●	●
	危険性が大きいかまたは著しく環境を悪化させるおそれがある工場	×	×	×	×	×	×	×	×	×	×	×	●	●
		■2…農産物および農業の生産資材を貯蔵するものに限る ※4…2階以下かつ1,500㎡以下 ▲1…3,000㎡以下 ◎1…作業場の床面積50㎡以下* ◎2…作業場の床面積150㎡以下* ■3…農産物を生産、集荷、処理および貯蔵するものに限る* *…著しい騒音を発生するものを除く												

Ⅱ　建築物の敷地が2つの用途地域にまたがる場合

建築物の敷地が2つの用途地域にまたがる場合は、**広いほう**（敷地の過半が属するほう）の用途制限が適用されます。

6　集団規定❸　建蔽率

Ⅰ　建蔽率とは

建蔽率（けんぺいりつ）とは、敷地面積に対する建築面積の割合をいいます。

$$建蔽率 = \frac{建築面積}{敷地面積}$$

Ⅱ　建蔽率の最高限度（指定建蔽率）

建蔽率の最高限度は、次のように決められています。

地域・区域	建蔽率の最高限度
第一種低層住居専用地域 第二種低層住居専用地域 第一種中高層住居専用地域 第二種中高層住居専用地域 田園住居地域 工業専用地域	$\frac{3}{10}$、$\frac{4}{10}$、$\frac{5}{10}$、$\frac{6}{10}$ のうち都市計画で定めたもの
第一種住居地域 第二種住居地域 準住居地域 準工業地域	$\frac{5}{10}$、$\frac{6}{10}$、$\frac{8}{10}$ のうち都市計画で定めたもの
近隣商業地域	$\frac{6}{10}$、$\frac{8}{10}$ のうち都市計画で定めたもの
商業地域	$\frac{8}{10}$
工業地域	$\frac{5}{10}$、$\frac{6}{10}$ のうち都市計画で定めたもの
用途地域の指定のない区域	$\frac{3}{10}$、$\frac{4}{10}$、$\frac{5}{10}$、$\frac{6}{10}$、$\frac{7}{10}$ のうち特定行政庁が都道府県都市計画審議会の議を経て定めるもの

7 集団規定❹　容積率

I 容積率とは

容積率とは、敷地面積に対する建築物の延べ面積の割合をいいます。

$$容積率 = \frac{延べ面積（各階の面積の合計）}{敷地面積}$$

II 容積率の最高限度（指定容積率）

容積率の最高限度（主なもの）は、次のように決められています。

地域・区域	容積率の最高限度
第一種低層住居専用地域 第二種低層住居専用地域 田園住居地域	$\frac{5}{10}$、$\frac{6}{10}$、$\frac{8}{10}$、$\frac{10}{10}$、$\frac{15}{10}$、$\frac{20}{10}$のうち都市計画で定めたもの
第一種中高層住居専用地域 第二種中高層住居専用地域 第一種住居地域 第二種住居地域 準住居地域 近隣商業地域 準工業地域	$\frac{10}{10}$、$\frac{15}{10}$、$\frac{20}{10}$、$\frac{30}{10}$、$\frac{40}{10}$、$\frac{50}{10}$のうち都市計画で定めたもの
商業地域	$\frac{20}{10}$、$\frac{30}{10}$、$\frac{40}{10}$、$\frac{50}{10}$、$\frac{60}{10}$、$\frac{70}{10}$、$\frac{80}{10}$、$\frac{90}{10}$、$\frac{100}{10}$、$\frac{110}{10}$、$\frac{120}{10}$、$\frac{130}{10}$のうち都市計画で定めたもの
工業地域 工業専用地域	$\frac{10}{10}$、$\frac{15}{10}$、$\frac{20}{10}$、$\frac{30}{10}$、$\frac{40}{10}$のうち都市計画で定めたもの
用途地域の指定のない区域	$\frac{5}{10}$、$\frac{8}{10}$、$\frac{10}{10}$、$\frac{20}{10}$、$\frac{30}{10}$、$\frac{40}{10}$のうち特定行政庁が都道府県都市計画審議会の議を経て定めるもの

Ⅲ 前面道路の幅員による容積率の制限

前面道路の幅員が12m未満の場合は、容積率に制限があります。

チェック

前面道路の幅員による容積率の制限

前面道路の幅員が 12 m以上の場合の容積率

→指定容積率

前面道路の幅員が 12 m未満の場合の容積率

→次のうち、小さいほう

❶ 指定容積率
❷ 前面道路の幅員×法定乗数

→一般的に住居系は$\frac{4}{10}$、それ以外は$\frac{6}{10}$

なお、建築物の敷地が2つ以上の道路に面している場合には、最も幅員の広い道路が前面道路となります。

⑧ 集団規定❺　高さ制限（斜線制限、日影規制）

I　斜線制限

斜線制限とは、建築物の高さの制限の一つで、建築物の高さは道路の境界線等から上方斜めに引いた線の内側におさまらなければならないというものです。

斜線制限には、道路斜線制限、隣地斜線制限、北側斜線制限の３つがあります。

チェック

斜線制限

1 道路斜線制限…道路および道路上空の空間を確保するための制限

建築不可
建築可能な空間
道路の反対側の境界線
道路
敷地

2 隣地斜線制限…高い建物間の空間を確保するための制限

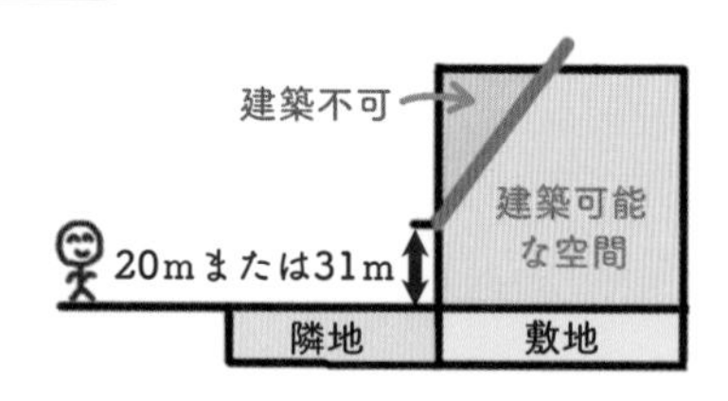

3 北側斜線制限…住宅地における日当たりを確保するための制限

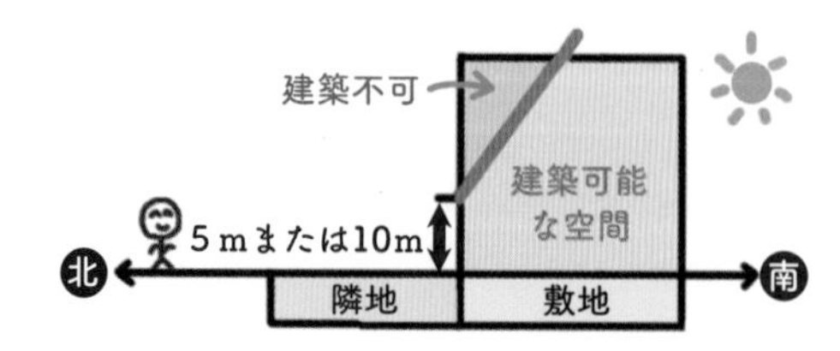

各斜線制限が適用される区域は次のとおりです。

●…適用あり　×…適用なし

	道路斜線制限	隣地斜線制限	北側斜線制限
第一種低層住居専用地域	●	×	●
第二種低層住居専用地域	●	×	●
田園住居地域	●	×	●
第一種中高層住居専用地域	●	●	●※
第二種中高層住居専用地域	●	●	●※
第一種住居地域	●	●	×
第二種住居地域	●	●	×
準住居地域	●	●	×
近隣商業地域	●	●	×
商業地域	●	●	×
準工業地域	●	●	×
工業地域	●	●	×
工業専用地域	●	●	×
用途地域の指定のない区域	●	●	×

※…日影規制を受けるものを除く

Ⅱ 日影規制

日影規制とは、建築物の高さの制限の一つで、北側（隣地の南側）の敷地の日当たりを確保するための制限です。

1 対象区域と対象建築物

次の区域内にある対象建築物には、日影規制が適用されます。

	対象建築物
第一種低層住居専用地域	Ⓐ ・軒の高さが7mを超える建築物 または ・地階を除く階数が3以上の建築物
第二種低層住居専用地域	
田園住居地域	
第一種中高層住居専用地域	Ⓑ 高さが10mを超える建築物
第二種中高層住居専用地域	
第一種住居地域	
第二種住居地域	
準住居地域	
近隣商業地域	
商業地域	日影規制なし
準工業地域	Ⓑと同じ
工業地域	日影規制なし
工業専用地域	日影規制なし
用途地域の指定のない区域	Ⓐ、Ⓑのうち、地方公共団体が条例で定めるもの

2 日影規制対象外にある建築物について

日影規制の対象区域外にある建築物でも、高さが10mを超え、冬至日において、対象区域内に日影を生じさせるものには、日影規制が適用されます。

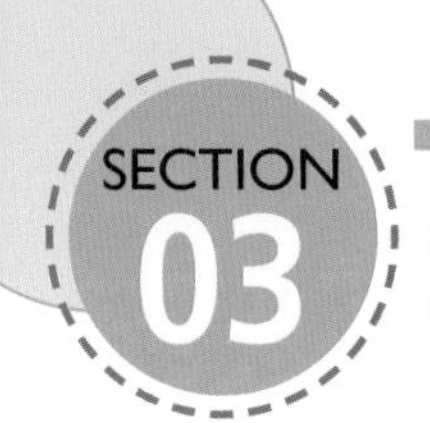

国土利用計画法

★SECTION03はこんな話★

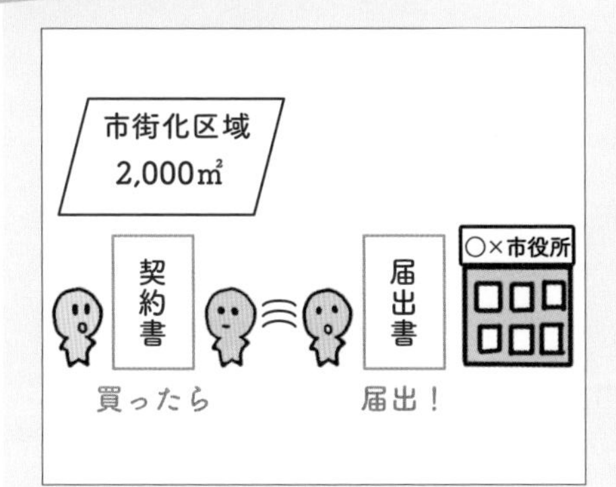

国土利用計画法には、国土利用計画、土地利用基本計画、遊休土地に関する措置などがありますが、宅建士試験で問われるのは、主に土地取引の規制に関する措置の届出制です。

土地は個人にとっても、国にとっても、重要な資産のひとつ。国土利用計画法はその土地の乱開発や異常な高騰を抑制しようとすることが目的です！

① 国土利用計画法の全体像

国土利用計画法では、土地売買等の契約を締結するさいには、許可または届出（事前届出または事後届出）を必要としています。

1 許可制

規制区域にある土地について、売買等の契約を締結しようとする場合には、都道府県知事の許可が必要です。

2 届出制

規制区域以外の区域にある土地について、売買等の契約を締結する場合には、都道府県知事に届出が必要です。

なお、監視区域と注視区域にある土地について、売買等の契約を締結する場合には、土地取引契約の締結前に届出が必要です（事前届出制）。

また、監視区域と注視区域以外の、なんの指定も受けていない区域（無指定区域）では、土地取引契約の締結日から２**週間以内**に都道府県知事に届出をしなければなりません（事後届出制）。

② 土地売買等の契約とは

許可または届出が必要となる「土地売買等の契約」とは、次の３つの要件を満たした取引をいいます。

チェック

土地売買等の契約とは

要件1 土地に関する権利の移転または設定であること【権利性】	☆「土地に関する権利」とは、所有権、地上権、賃借権およびこれらの権利の取得を目的とする権利をいう （ということは…）地役権、永小作権、抵当権の移転・設定については許可・届出は不要
要件2 対価の授受を伴うものであること【対価性】	☆「対価」は金銭に限られない 「交換」は対価の授受があるものとされる
要件3 土地に関する権利の移転または設定が契約によって行われるものであること【契約性】	☆ 予約、停止条件付契約も含まれる ・契約時に許可・届出が必要 ・実際の取引時（予約完結権の行使時、条件の成就時）にあらためて許可・届出を行う必要はない 停止条件付契約…ある条件をクリアしたら、契約の効力が生じる契約

土地売買等の契約に該当するもの（例）	・売買契約、売買の予約　・交換 ・譲渡担保　・代物弁済 ・停止条件付・解除条件付の契約　など	
土地売買等の契約に該当しないもの（例）	・地役権、永小作権、抵当権などの設定、移転	←「土地に関する権利」に該当しない
	・贈与、信託の引受け	←「対価の授受」がない
	・形成権（予約完結権、買戻権など）の行使	←「契約」ではない
	・相続、法人の合併、遺産分割 ・時効、土地収用	←「対価の授受」がない&「契約」ではない

③ 許可・届出が不要な場合

「土地売買等の契約」に該当する場合でも、次の場合には、例外的に許可・届出が不要となります。

チェック

許可・届出が不要な場合

❶ 当事者の一方または双方が国、地方公共団体、地方住宅供給公社等である場合

❷ 農地法3条1項の許可を受ける必要がある場合
→農地を農地のまま売る場合等は、農業委員会の許可が必要だよ、という規定

❸ 民事調停法による調停にもとづく場合

❹ 非常災害にさいして、必要な応急措置を講ずる場合（一定の場合）

❺ 次の面積未満の土地

規制区域	監視区域	注視区域	無指定区域
― 面積例外はなし	都道府県の規則で定めた面積未満	・市街化区域 →2,000㎡未満 ・市街化区域以外の都市計画区域 （市街化調整区域、非線引き区域） →5,000㎡未満 ・都市計画区域外 （準都市計画区域、それ以外の区域） →10,000㎡未満	

Q H20－問17①改

宅地建物取引業者Aが所有する市街化区域内（無指定区域）の1,500㎡の土地について、宅地建物取引業者Bが購入する契約を締結した場合、Bは、その契約を締結した日から2週間以内に事後届出を行わなければならない。

A 市街化区域については、2,000㎡未満の土地売買契約の締結には、届出が不要である。 ×

農地法

★SECTION04はこんな話★

農地法では、農地の転用や取引について許可や届出が必要であることを定めています。何が農地として扱われるのか、どの場合に、誰の許可が必要になるのかを覚えましょう。

農地・採草放牧地に該当するかどうかは、
土地の現況や継続的な状態で判断します。

1 農地法の全体像

Ⅰ 農地と採草放牧地

農地とは、耕作の目的に使われる土地をいいます。また、採草放牧地(さいそうほうぼくち)とは、農地以外の土地で、主として耕作や家畜の放牧、家畜用の飼料等にするための草を採る目的で使われる土地をいいます。

Ⅱ 権利移動と転用の規制

農地法（3条、4条、5条）では、農地・採草放牧地の権利移動および転用について、一定の許可を要することを定めています。

チェック

権利移動と転用の規制

権利移動と転用の意味

権利移動 ←使用する人が変わること。「Aさんが農地をBさんに売った」など

…所有権の移転または地上権、永小作権等の使用収益権の設定・移転

☆抵当権の設定は、（使用する人が変わるわけではないから）権利移動に該当しない

☆農地・採草放牧地の賃貸借は、その登記がなくても、農地・採草放牧地の引渡しがあったときは、第三者に対抗することができる

☆農地所有適格法人（農地法に定める一定の要件を満たして農地・採草放牧地に関する権利の取得が可能な法人）の要件を満たしていない法人は、原則として、農地・採草放牧地を所有することはできない（借り入れは可）

転　用 ←使用方法が変わること。「農地を宅地に変えた」など

…農地を農地以外の土地にすること、採草放牧地を採草放牧地以外の土地にすること

権利移動・転用の制限

条文	内容	図
3条 権利移動	農地・採草放牧地の 権利移動は 農業委員会の許可が必要	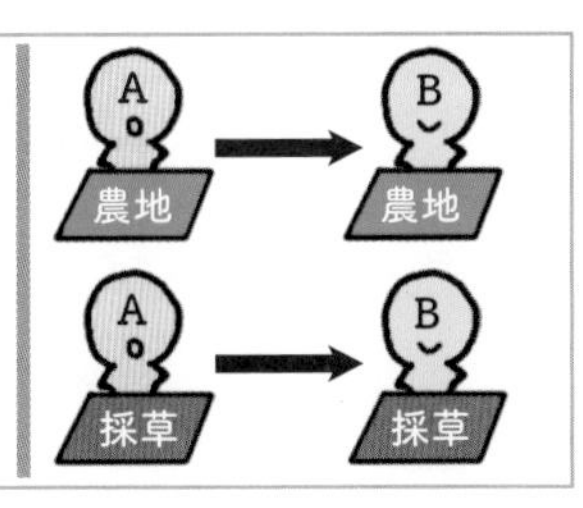
4条 転　用	農地の 転用は 都道府県知事の許可が必要 →指定市町村※の区域内にあっては指定市町村長	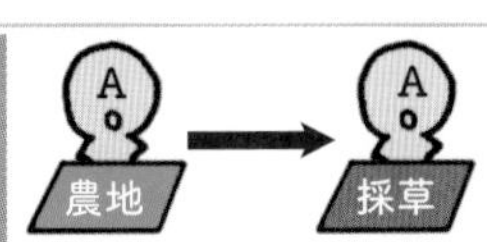 とか 宅地とか… ☆ 採草放牧地→農地・宅地への転用は規制なし
5条 転用目的の 権利移動	農地・採草放牧地の 転用目的の権利移動は 都道府県知事の許可が必要 →指定市町村※の区域内にあっては指定市町村長	使用する人も、使用方法も変わるパターン 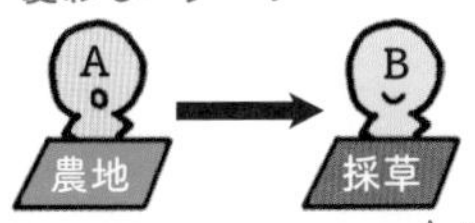 とか 宅地とか… 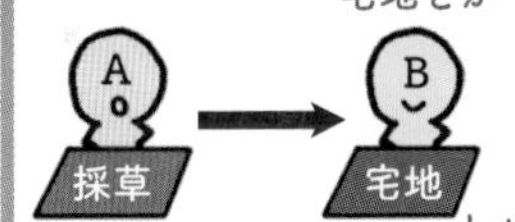 とか ☆ 採草放牧地→農地の場合は3条規制

※指定市町村…農地または採草放牧地の農業上の効率的かつ総合的な利用の確保に関する施策の実施状況を考慮して農林水産大臣が指定する市町村

Q H22－問22②改

宅地に転用する目的で市街化区域外の農地を購入する場合は、農地の権利移動に係る農地法第3条第1項の許可のほか、農地転用に係る農地法第4条第1項の都道府県知事の許可を受ける必要がある。

A 「使用する人の変更（所有者→購入者）」&「使用方法の変更（農地→宅地）」なので、本問の場合は**5条許可**を受ける必要がある。　×

盛土規制法

★SECTION05はこんな話★

建物を建てるときに、土地を平らにするために、土を削ったり、または盛ったりすることもあります。しかし、この作業を、どこでも自由にできたら崖崩れや土石の流出などの災害が発生しかねません。そこで、盛土規制法において、災害の発生しそうな場所での宅地造成などについて規定を設けることで未然に防ごうとしています。

住む場所の確保は大切だけど、
住んでいる人達の安全も守らなければなりません！

1 盛土規制法の全体像

盛土規制法（「宅地造成及び特定盛土等規制法」）は、宅地造成、特定盛土等または土石の堆積にともなう崖崩れや土砂の流出による災害を防止するための法律です。

ひとこと

従来の「宅地造成等規制法」が改正され、「宅地造成及び特定盛土等規制法」となりました。

令和３年に発生した大規模な土石流災害（盛土等の崩落による災害）により、甚大な被害が生じました。また、それ以外でも盛土等の崩落による災害が生じるおそれのあるエリアが多数存在していることが発覚しました。

このような事態をふまえ、土地の用途（宅地、森林、農地等）にかかわらず、危険な盛土等を規制するための法律が盛土規制法です。

I 盛土規制法の概要

盛土規制法では、盛土等の崩落によって人家等に被害を及ぼすおそれのあるエリアを宅地造成等工事規制区域、特定盛土等規制区域として指定し、規制区域内で盛土等を行う場合には、都道府県知事等の許可を受けて安全な盛土等を行わなければならないとしています。

ひとこと

宅地造成等工事規制区域は、市街地や集落など、盛土等が行われた場合に人家等に危害を及ぼすおそれのあるエリアをいいます。

また、特定盛土等規制区域とは、市街地や集落から離れているけれども、山の斜面など、地形等の条件から、盛土等が行われた場合に人家等に危害を及ぼすおそれのあるエリアをいいます。

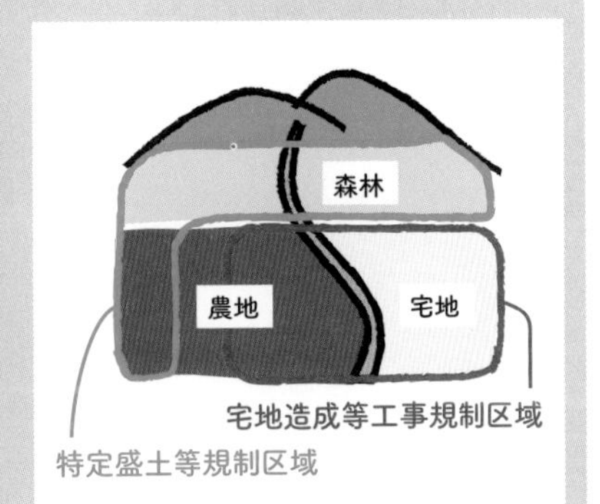

Ⅱ 用語の意味

学習に先立って、以下の用語の意味を確認しておきましょう。

1 宅地

宅地とは、農地等（農地、採草放牧地、森林）、公共施設用地（道路、公園、河川等一定の公共用施設に使われている土地）以外の土地をいいます。

2 宅地造成

宅地造成とは、宅地以外の土地を宅地にするために行う盛土その他の土地の形質の変更で、下記（チェック 土地の形質の変更の宅）のいずれかに該当するものをいいます。

3 特定盛土等

特定盛土等とは、宅地・農地等において行う盛土その他の土地の形質の変更で、当該宅地・農地等に隣接し、または近接する宅地において災害を発生させるおそれが大きいものとして下記（チェック 土地の形質の変更の宅）のいずれかに該当するものをいいます。

4 土石の堆積

土石の堆積とは、宅地・農地等において行う土石の堆積で下記（チェック 一時的な土石の堆積の宅）のいずれかに該当するものをいいます（一定期間の経過後に当該土石を除却するものに限る）。

チェック

許可対象となる盛土等の規模

土地の形質の変更（盛土・切土）

宅…宅地造成等工事規制区域の場合
特…特定盛土等規制区域の場合

❶盛土で高さが 宅 1 m超 特 2 m超の崖※を生じるもの	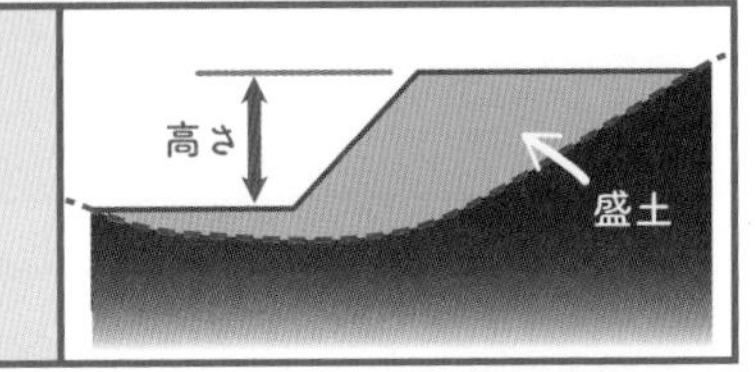
❷切土で高さが 宅 2 m超 特 5 m超の崖※を生じるもの	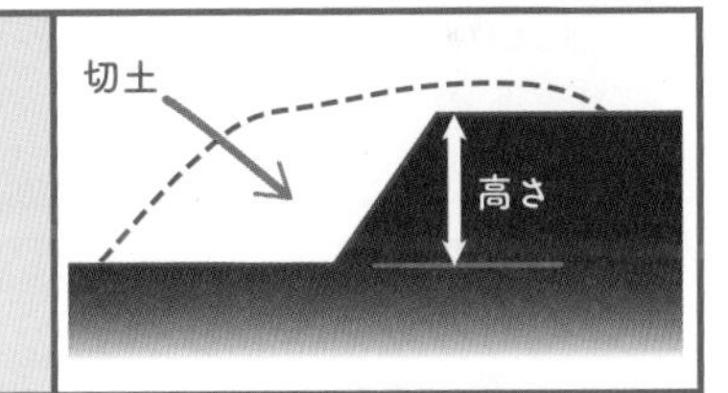
❸盛土と切土を同時に行い高さが 宅 2 m超 特 5 m超の崖※を生じるもの（❶❷を除く）	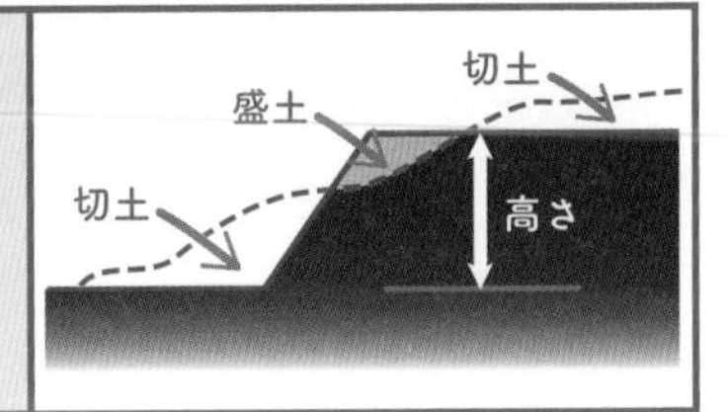
❹盛土で高さが 宅 2 m超 特 5 m超となるもの（❶❸を除く）	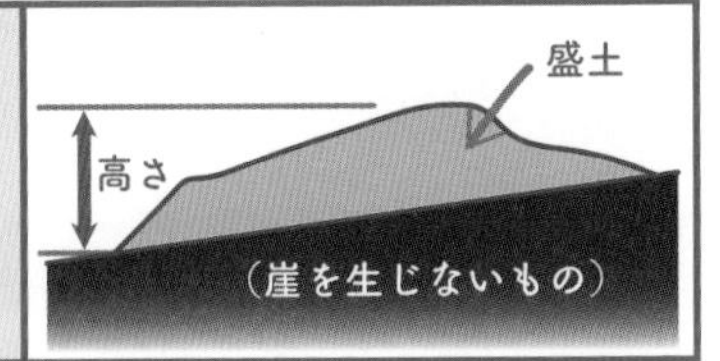
❺盛土または切土をする土地の面積が 宅 500 ㎡超 特 3,000 ㎡超となるもの（❶～❹を除く）	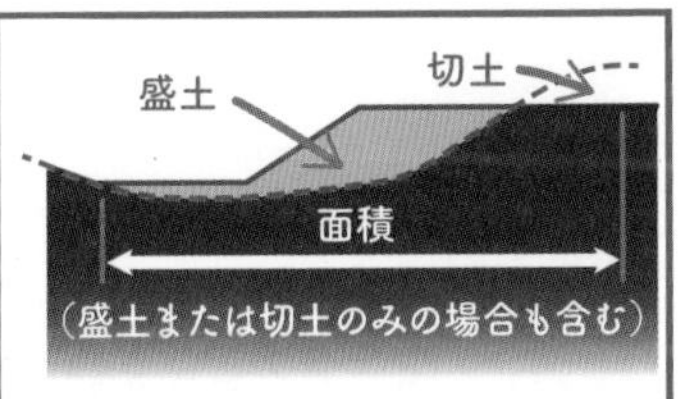

一時的な土石の堆積

⑥最大時に堆積する高さが 宅 2 m超　特 5 m超 かつ、面積が 宅 300 ㎡超　特 1,500 ㎡超となるもの	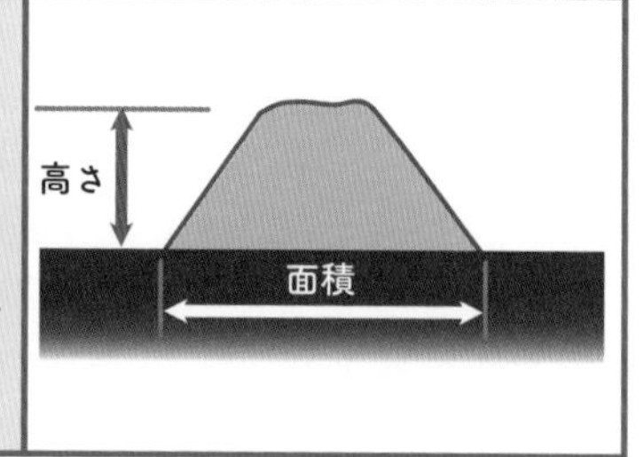
⑦最大時に堆積する面積が 宅 500 ㎡超　特 3,000 ㎡超となるもの	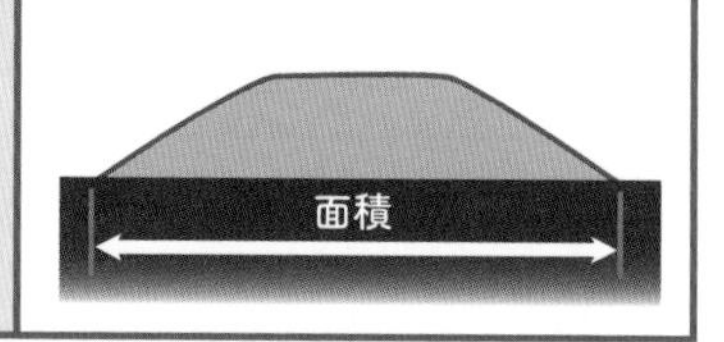

ひとこと

崖（※）とは、地表面が水平面に対し30度を超える角度をなす土地で硬岩盤（風化の著しいものを除く）以外のものをいいます。

なお、特定盛土等規制区域内で宅のいずれかに該当する特定盛土等または土石の堆積（特を除く）を行う場合には、原則として「届出対象」となります。

2 規制区域内の規制

I 規制区域の指定

1 宅地造成等工事規制区域の指定

都道府県知事は、宅地造成、特定盛土等または土石の堆積（以下、これらをまとめて「宅地造成等」）に伴う災害が生じるおそれが大きい市街地もしくは市街地となろうとする土地の区域または集落の区域（これらの区域に隣接し、または近接する土地の区域を含む）であって、宅地造成等に関する工事について規制を行う必要があるものを、宅地造成等工事規制区域として指定することができます。

2 特定盛土等規制区域の指定

都道府県知事は、基本方針にもとづき、かつ、基礎調査の結果を踏まえ、宅地造成等工事規制区域以外の土地の区域であって、土地の傾斜度、渓流の位置その他の自然的条件および周辺地域における土地利用の状況その他の社会的条件からみて、当該区域内の土地において特定盛土等または土石の堆積が行われた場合には、これに伴う災害により市街地等区域その他の区域の居住者その他の者（居住者等）の生命または身体に危害を生ずるおそれが特に大きいと認められる区域を、特定盛土等規制区域として指定することができます。

ひとこと

都道府県知事は、宅地造成等工事規制区域および特定盛土等規制区域を指定しようとするときは、関係市町村長の意見を聴かなければなりません。

II 工事の許可

宅地造成等工事規制区域内で宅地造成等に関する工事（チェック 許可対象となる盛土等の規模の宅）を行う場合、または、特定盛土等規制区域内で特定盛土等または土石の堆積（大規模な崖崩れまたは土砂の流出を生じさせるおそれが大きい一定の規模のものに限る＝チェック 許可対象となる盛土等の規模の特）に関する工事を行う場合には、原則として、工事主は、工事着手前に、都道府県知事の許可を受けなければなりません。

なお、工事主は、当該許可の申請をするときは、あらかじめ、前記の工事の施行に係る土地の周辺地域の住民に対し、説明会の開催その他の前記に関する工事の内容を周知させるため必要な措置を講じなければなりません。

ひとこと

特定盛土等規制区域内で行う、特定盛土等または土石の堆積（チェック 許可対象となる盛土等の規模の宅）に関する工事については、工事主は、原則として当該工事に着手する日の30日前までに、当該工事の計画を都道府県知事に届け出なければなりません。つまり、特定盛土等規制区域内の宅に関する工事は届出、特に関する工事は許可の対象となります。

Ⅲ 土地の保全義務

宅地造成等工事規制区域内の土地の所有者、管理者、占有者は、宅地造成等（宅地造成等工事規制区域の指定前に行われたものも含む）に伴う災害が生じないように、その土地を常時安全な状態に維持するように努めなければなりません。

Ⅳ 勧告

都道府県知事は、宅地造成等工事規制区域内の土地について、宅地造成等（宅地造成等工事規制区域の指定前に行われたものも含む）に伴う災害の防止のため必要があると認める場合には、土地の所有者、管理者、占有者、工事主、工事施行者に対し、必要な措置（擁壁・排水施設等の設置や改造など）をとることを勧告することができます。

Ⅴ 改善命令

都道府県知事は、宅地造成等工事規制区域内の土地で、宅地造成もしくは特定盛土等（宅地造成等工事規制区域の指定前に行われたものも含む）に伴う災害の防止のため必要な擁壁等が設置されておらず（もしくは極めて不完全であるために）、または土石の堆積に伴う災害の防止のために必要な措置がとられておらず（もしくは極めて不十分であるために）、これを放置すると、宅地造成等に伴う災害の発生のおそれが大きいと認められる場合には、土地または擁壁等の所有者、管理者、占有者に対し、相当の期限を設けて、必要な工事（擁壁・排水施設等の設置や改造または地形等の改良・土石の除却のための工事）を行うことを命ずることができます。

Ⅵ 報告の徴取

都道府県知事は、宅地造成等工事規制区域内の土地の所有者、管理者、占有者に対し、土地または土地において行われている工事の状況について、報告を求めることができます。

ひとこと

特定盛土等規制区域内の土地の所有者等にも、宅地造成等工事規制区域内の土地の所有者等と同様の義務等（Ⅲ～Ⅵ）が課せられています。

③ 造成宅地防災区域

都道府県知事は、必要があると認めるときは、関係市町村長の意見を聴いて、宅地造成または特定盛土等（宅地において行うものに限る）に伴う災害で、相当数の居住者等に危害を生ずるものの発生のおそれが大きい一団の造成宅地（これに附帯する道路その他の土地を含み、**宅地造成等工事規制区域内の土地を**除く）の区域であって、一定の基準に該当するものを造成宅地防災区域として指定することができます。

土地区画整理法

★SECTION06はこんな話★

入り組んだ道や曲がりくねった道が多かった場合、土地が中途半端に余ってしまってもったいないということがあります。限られた土地を有効活用し、整理された街並みを作るための法律が、土地区画整理法です。

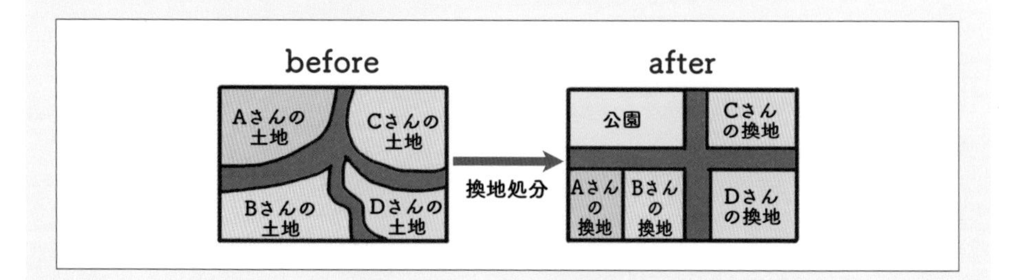

限られた土地を有効活用するため、整理整頓をするイメージ！

1 土地区画整理法の全体像

I 土地区画整理事業とは

土地区画整理事業とは、都市計画区域内の土地について、公共施設の整備改善、宅地の利用増進を図るために行われる土地の区画形質の変更、公共施設の新設・変更に関する事業をいいます。

土地区画整理事業は、**減歩**(げんぶ)や**換地処分**(かんちしょぶん)という方法で行われます。

チェック

土地区画整理事業

減　歩

…公共施設の整備等の目的で、土地の所有者から土地の一部を無償で提供してもらうこと

換地処分

…土地区画整理事業の工事終了後、従前の宅地に換えて新しい土地（換地）を交付すること

Ⅱ 土地区画整理事業の施行者

土地区画整理事業の施行者（土地区画整理事業を施行する者）になれるのは、次の者です。

チェック

土地区画整理事業の施行者

民間施行	個人施行者	…宅地の所有者、借地権者、これらの者の同意を受けた者
	土地区画整理組合	…宅地の所有者、借地権者が7人以上で共同して設立する組合
	↑試験の出題はほとんどコレ	
	区画整理会社	…宅地の所有者、借地権者を株主とする株式会社で、一定の要件に該当するもの
公的施行		…地方公共団体、国土交通大臣、独立行政法人都市再生機構、地方住宅供給公社

② 換地計画

施行者は、換地処分を行うための**換地計画**を定めなければなりません。

また、施行者が都道府県、国土交通大臣以外であるとき（個人施行者、土地区画整理組合、区画整理会社、市町村、機構等であるとき）には、換地計画について都道府県知事の認可を受けなければなりません。

換地計画で定めるものには、次のようなものがあります。

チェック

換地計画で定めるもの

換　地	換地は、従前の宅地と条件（位置、地積、環境等）が同じようなものでなければならない＝換地照応の原則

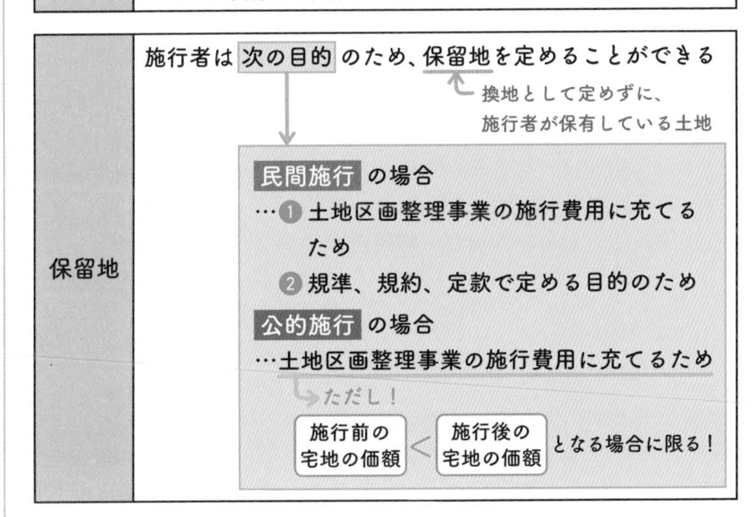

③ 換地処分

Ⅰ 換地処分とは

換地処分とは、土地区画整理事業の工事終了後、従前の宅地に代わる新しい土地（換地）を交付することをいいます。

チェック

換地処分のポイント

換地処分の時期

原 則

換地処分は、換地計画に係る区域の全部について、工事が完了した後に、遅滞なく行う

例 外

規準、規約、定款、施行規程に別段の定めがある場合は、工事の完了前でも換地処分を行うことができる

通知・公告

☆ 換地処分は、施行者が関係権利者に対して、換地計画で定められた事項を通知して行う

☆ 換地処分があった場合、都道府県知事は、換地処分があった旨を公告しなければならない

→ 国土交通大臣が施行する場合は国土交通大臣

II 換地処分の効果

都道府県知事等から換地処分の公告があると、換地処分の効果が生じます。換地処分の効果は、公告の日（が終了した時）から生じるものと、公告の日の翌日から生じるものがあります。

チェック

換地処分の効果

従前の宅地に存在した所有権、地上権、抵当権等が換地に移動する

① 換地計画において定められた換地	は	換地処分の公告があった日の翌日	から	従前の宅地とみなされる

② 換地を定めない従前の宅地に存する権利	は	換地処分の公告があった日が終了した時	に	消滅する

従前の宅地に存在した所有権、地上権、抵当権等は換地処分の公告があった日の翌日に換地に移動する…①
だけど、地役権は…

③ 地役権	は	換地処分の公告があった日の翌日以降も従前の宅地上に存する

ただし

事業の施行により行使する利益がなくなった地役権	は	換地処分の公告があった日が終了した時	に消滅する

④ 保留地	は	換地処分の公告があった日の翌日	に	施行者が取得する
⑤ 清算金	は	換地処分の公告があった日の翌日	に	確定する

ひとこと

要するに、「消滅するもの」は「換地処分の公告があった日が終了した時」になくなり、「新たに生じるもの」は「その翌日」に発生する、ということです。

入門講義編

CHAPTER 04

税・その他

不動産に関する税金

★SECTION01はこんな話★

宅建士試験で出題される不動産に関する税金は、大きく分けて、取得するとき、所有しているとき、売ったときの３種類があります。そして各税法の税率や適用要件が問われます。また、ここ最近は、国税と地方税で１問ずつ出題されることが多いです。

本書では、比較的やさしい印紙税についてみていきます。

1 不動産に関する税金の全体像

I 不動産に関する税金

不動産に関する税金（試験で出題されるもの）には、不動産取得税、登録免許税、印紙税、固定資産税、所得税などがあります。

不動産に関する税金

不動産を取得したときにかかる税金

◆不動産取得税　◆登録免許税　◆印紙税

不動産を保有しているとかかる税金

◆固定資産税

不動産を売却したときにかかる税金

◆所得税（譲渡所得）　◆住民税

II 国税と地方税

誰が課税するのかといった面から、税金は国税（国が課税）と地方税（地方公共団体が課税）に分かれます。

上記Iの税金を国税と地方税に分けると、次のようになります。

国税と地方税

	税　金	内　容
国　税	所得税	不動産を売却し、所得を得たときに課される税金
	登録免許税	不動産の登記等を受けるときに課される税金
	印紙税	不動産の売買契約書等（課税文書）を作成したときに課される税金
地方税	不動産取得税	不動産を取得したときに課される税金
	固定資産税	不動産を保有していると課される税金

② 不動産を取得したときにかかる税金 印紙税

印紙税は、一定の文書（課税文書）を作成した場合に課される税金（国税）で、契約書等に印紙を貼り、消印することによって納税します。

1つの課税文書を2人以上で作成した場合には、連帯して納付する義務を負います。

I 印紙税の基本的な内容

印紙税の基本的な内容は次のとおりです。

チェック

印紙税の基本的な内容

課税主体 誰が税金を課すのか？
→国（国税）

納税義務者 誰が税金を払うのか？
→課税文書の作成者

課税客体 何に対して税金がかかるのか？
→課税文書に対して税金がかかる

非課税 税金がかからない場合は？
→国・地方公共団体等が作成する文書

納付方法 税金の納め方は？
→原則として、印紙を貼付して消印する方法によって納付

II 課税文書に該当するもの

課税文書には、一定の契約書、受取書（領収証）などが該当します。

チェック

課税文書に該当するもの

契約書

1. 不動産の譲渡に関する契約書
   → 不動産の売買契約書、土地交換契約書など
2. 地上権または土地の賃借権の設定・譲渡に関する契約書
   → 土地賃貸借契約書など
3. 消費貸借に関する契約書
   → 金銭消費貸借契約書など
4. 請負に関する契約書
   → 工事請負契約書など

ポイント

✓ 契約金額が1万円未満の契約書は原則非課税

受取書

5. 金銭等の受取書
   → 領収証

ポイント

✓ 記載された金額が5万円未満の受取書、営業に関しない受取書は非課税となる

たとえば 個人が自宅を売却した際の、売買代金が記載された受取書には印紙税は課税されない

III 課税標準

印紙税の課税標準は、文書に記載された金額（記載金額＝契約書の場合は契約金額、受取書の場合は受取金額）です。なお、契約金額の記載がない契約書についても印紙税が一律200円かかります。

具体的な記載金額は次のようになります。

チェック

記載金額（課税標準）

契約書	記載金額
売買契約書	売買代金
交換契約書	対象物の双方の金額が記載されているとき →いずれか高いほう 交換差金のみが記載されているとき →その金額
贈与契約書	「記載金額のない契約書」として200円の印紙税が課される
土地の賃貸借契約書	契約に際して相手方に交付し、後日返還されることが予定されていない金額 →注 地代、敷金は契約金額とならない
変更契約書	もとの契約書の契約金額と総額が変わらないとき →「記載金額のない契約書」として200円の印紙税が課される 増額契約の場合※ →増額部分のみが記載金額となる 減額契約の場合※ →「記載金額のない契約書」として200円の印紙税が課される

※ もとの契約書が作成されていることが明示され、変更後の増減額が記載されているときに限る

ポイント

- 一通の契約書に売買契約と請負契約の記載がある場合、原則として、全体が売買契約に係る文書となる
  - ただし 両方の金額が記載されているときには、金額が高いほうが記載金額となる！
- 契約書に、消費税額が区分記載されている場合には、消費税額は記載金額に含めない

H23－問23④

「Aの所有する土地（価額7,000万円）とBの所有する土地（価額1億円）とを交換し、AはBに差額3,000万円を支払う」旨を記載した土地交換契約書を作成した場合、印紙税の課税標準となる当該契約書の記載金額は3,000万円である。

交換契約書において、双方の金額が記載されている場合には、いずれか**高いほう**（本問の場合は1億円）が記載金額となる。 ×

Ⅳ 税率

印紙税の税率は、次のとおりです。

印紙税の税率

記載金額がある契約書	記載金額に応じて異なる （ただし、記載金額が1万円未満の場合は原則非課税）
記載金額がない契約書	200円

V 過怠税

印紙が貼られていない場合には、納付しなかった印紙税の額とその2倍に相当する金額の合計額（つまり印紙税額の3倍）が過怠税として徴収されます。

また、印紙が貼られているものの、消印がない場合には、印紙の額面金額分の過怠税が徴収されます。

過怠税が課される場合でも、契約自体は有効となります。

不動産鑑定評価基準

★SECTION02はこんな話★

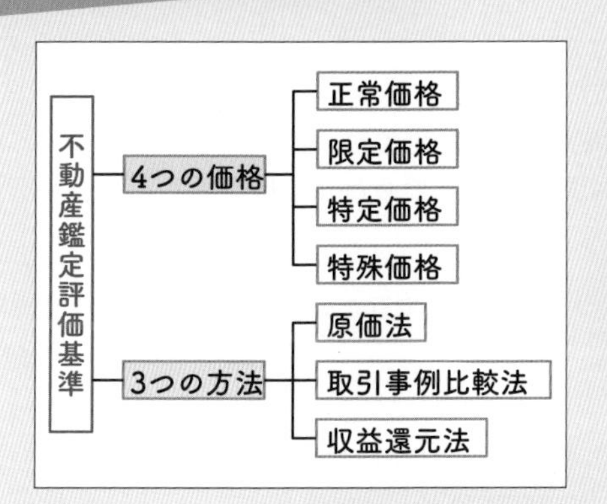

不動産の購入は、人生の大きな買い物のうちのひとつで、失敗したくないと誰もが考えることでしょう。しかし、不動産の価格は社会的・経済的な理由で変動するため、適正価格を決めるのはなかなか難しいことです。そこで、不動産の適正な価格を求める必要があり、そのための指針が不動産鑑定評価基準です。

出題範囲は主に４つの価格と３つの方法！
まずは概略をおさえよう！

1 不動産の鑑定評価によって求める価格

不動産の鑑定評価によって求める価格は、原則として**正常価格**ですが、それ以外の価格を求める場合もあります。

チェック

不動産の鑑定評価によって求める価格

1 正常価格 ←原則

市場性を有する不動産について、現実の社会経済情勢の下で合理的と考えられる条件を満たす市場で形成されるであろう市場価値を表示する適正な価格

→ つまり 売り急ぎや買い進みなどがない、ふつうの状態での取引で成立する価格

2 限定価格 ←特殊な場合

市場性を有する不動産について、市場が相対的に限定される場合の価格

→ たとえば 隣接する土地の併合を目的として売買する場合など

3 特定価格 ←特殊な場合

市場性を有する不動産について、法令等による社会的要請を背景とする鑑定評価目的の下で、正常価格の前提となる諸条件を満たさないことにより正常価格と同一の市場概念の下において形成されるであろう市場価値と乖離することとなる場合における不動産の経済価値を適正に表示する価格

4 特殊価格 ←特殊な場合

市場性を有しない不動産について、利用現況等を前提とした不動産の経済価値を適正に表示する価格

→ たとえば 文化財など

② 不動産の鑑定評価方式

不動産の鑑定評価方式には、原価法、取引事例比較法、収益還元法の3つがあります。

ひとこと

鑑定評価の手法の適用にあたっては、地域分析および個別分析により把握した対象不動産に係る市場の特性等を適切に反映した複数の手法を適用すべき（それが困難な場合においても、その考え方をできるだけ参酌するように努めるべき）とされています。

チェック

不動産の鑑定評価方式

1 原価法

…とは？ いま買ったらいくらか

価格時点における対象不動産の再調達原価を求め、それに減価修正を加えて対象不動産の試算価格（積算価格）を求める方法

2 取引事例比較法

セットバックがある場合はそれ（事情）を加味する…とか

似たような取引事例を参考にして、それに事情補正、時点修正を加えて対象不動産の試算価格（比準価格）を求める方法

選択した不動産の価格時点が大昔である場合はそれ（時間）を加味する…とか

3 収益還元法

対象不動産が将来生み出すであろう純収益（収益－費用）と最終的な売却価格から現在の対象不動産の試算価格（収益価格）を求める方法

地価公示法

★SECTION03はこんな話★

国土交通省地価公示

標準地番号	新宿 1	調査基準日	令和○○年1月1日
所在及び地番	東京都新宿区小久保1丁目219番4		
住居表示	小久保1-14-7		
価格（円／㎡）	511,000（円／㎡）	交通施設距離	新小久保 400m
地積（㎡）	230㎡	形状（間口:奥行）	（1.0：2.0）
利用区分、構造	建物などの敷地、RC3F		

売買は一般的に、売主が決めた売値に買主が納得すれば成立します。しかし土地の場合では、利用状況や環境等が通常とされる土地を決めて、土地鑑定委員会にその価格を判定してもらい、土地の取引を行なう場合の目安としましょうという話です。

地価は、都道府県か国土交通省のホームページから見ることができます！

1 地価公示法の基本

I 土地の取引を行う者の責務、公示価格の効力

地価公示法では、都市およびその周辺の地域等において土地取引を行う者は、公示価格を指標として取引を行うよう努めなければならないと規定されています。

なお、一定の者が土地取引をする場合には、公示価格が強制されます。

チェック

土地の取引を行う者の責務、公示価格の効力

一般の土地取引の場合	公示価格を指標として取引するよう、努めなければならない
不動産鑑定士が公示区域内の土地について鑑定評価を行う場合で、当該土地の正常な価格を求めるとき	公示価格を規準としなければならない
土地収用法等によって土地を収用できる事業を行う者が、公示区域内の土地を取得する場合で、当該土地の取得価格を定めるとき	公示価格を規準としなければならない

② 地価公示の手続

地価公示は毎年1回、次の手続によって行います。

チェック

地価公示の手続の流れ

1 標準地の選定 ← 土地鑑定委員会が行う

土地鑑定委員会が公示区域内から標準地を選定する

→ …とは? 都市計画区域その他の区域で、土地取引が相当程度見込まれるものとして国土交通省令で定める区域
（国土交通大臣が定める）

公示区域は国土交通大臣が定める ⟷ 標準地は土地鑑定委員会が選定する

2 標準地の鑑定評価 ← 土地鑑定委員会が鑑定評価を求める

標準地について、2人以上の不動産鑑定士が鑑定評価を行う

3 正常な価格の判定 ← 土地鑑定委員会が行う

土地鑑定委員会は、鑑定評価の結果を審査・調整して、基準日（1月1日）における標準地の単位面積あたりの正常な価格を判定する

↑ 自由な取引が行われるとした場合の、通常成立すると認められる価格

4 正常な価格の公示 ← 土地鑑定委員会が行う

土地鑑定委員会は、標準地の単位面積あたりの正常な価格を判定したら、すみやかに一定事項を官報で公示する

5 図書の送付 ← 土地鑑定委員会が行う

土地鑑定委員会は、公示後すみやかに、関係市町村の長に対して、一定の図書（書面、図面のこと）を送付する

6 図書の閲覧 ← 関係市町村の長が行う

関係市町村の長は、上記5の図書を市町村の事務所において、一般の閲覧に供する

Q H23－問25①

公示区域とは、土地鑑定委員会が都市計画法第4条第2項に規定する都市計画区域内において定める区域である。

A 公示区域は**国土交通大臣**が定める。また、公示区域は都市計画区域外にも定めることができる。 ×

住宅金融支援機構法

登録講習修了者は免除項目

★SECTION04はこんな話★

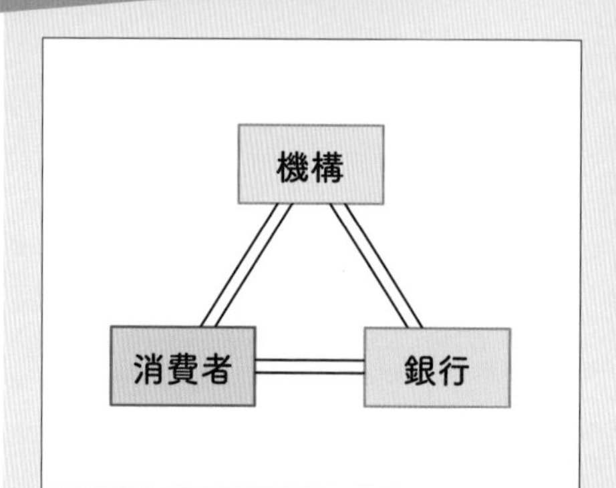

「フラット35」という言葉を一度は聞いたことがある方も多いのではないでしょうか。住宅金融支援機構は、民間金融機関と住宅建築等を考えている一般消費者の橋渡しになる存在です。その機構が、どのような仕事をしているのかをざっくりみていきましょう。

まずは主要業務の証券化支援事業を覚えましょう。
試験は意外とワンパターン！

1 機構の業務

機構は、次の業務を行っています。

I 証券化支援事業←主要業務

証券化支援事業は、住宅ローン債権を証券化することによって、民間金融機関が長期固定金利の住宅ローンを提供できるよう、支援する業務です。

具体的には、次の業務（買取型と保証型）をいいます。

チェック

証券化支援事業

自らまたは親族が居住する住宅の建設もしくは購入またはは一定の改良に必要な資金の貸付債権

買取型	民間の金融機関の住宅ローン債権を機構が買い取って、証券化し、投資家に売却する
保証型	☆民間の金融機関が融資する住宅ローンについて、住宅ローン利用者（住宅取得者）が返済不能となったとき、民間の金融機関に対して、機構が保険金の支払いを行う（←住宅融資保険の引受け） ☆住宅ローン債権を担保として発行された債券等に係る債務の支払いについて、投資家に対して期日どおりに元利払いの保証を行う

Q H22－問46②

機構は、証券化支援事業（買取型）において、銀行、保険会社、農業協同組合、信用金庫、信用組合などが貸し付けた住宅ローンの債権を買い取ることができる。

A 機構は、民間の金融機関の住宅ローン債権を買い取ることができる。 ○

ひとこと

証券化支援事業の活用例としてフラット35（民間の金融機関と機構が提携して提供している長期固定金利型の民間住宅ローン）があります。

フラット35のポイント
◆全期間固定金利が適用される
◆保証人や保証料は不要
◆融資金利や融資手数料は金融機関によって異なる

Ⅱ　融資保険業務

融資保険業務は、住宅ローンが返済不能となってしまった場合等に、機構が金融機関に保険金を支払う業務です。

Ⅲ　情報の提供

機構は、住宅の建設や購入等をしようとする者や住宅の建築等に関する事業をしようとする者に対して、住宅ローンや住宅に関する情報の提供を行います。

Ⅳ　直接融資

機構は、重要性は高いが、民間の金融機関では融資が困難なものに限って、直接融資を行います。

直接融資（一部）

【災害系】

◆災害復興建築物の建設・購入、被災建築物の補修に必要な資金の貸付け

【高齢者系】

◆高齢者の家庭に適した住宅にするための改良に必要な資金の貸付け

◆高齢者向け返済特例制度（60歳以上の高齢者が自ら居住する住宅に行う部分的バリアフリー工事・ヒートショック対策工事または耐震改修工事に係る貸付けについて、毎月の返済は利息のみとし、借入金の元金は申込人が死亡したときに一括して返済する制度）

【その他】

◆マンションの共用部分の改良に必要な資金の貸付け

◆住宅確保要配慮者に対する賃貸住宅の供給の促進に関する法律による貸付け・保険

V 団体信用生命保険業務

機構は、団体信用生命保険を業務として行っています。

景品表示法（不当景品類及び不当表示防止法）

★SECTION05はこんな話★

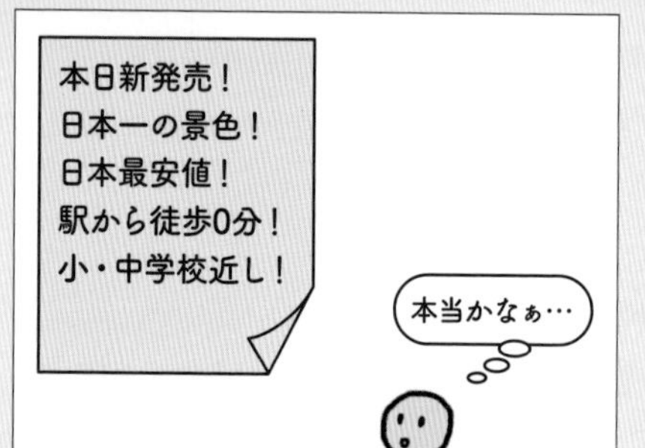

あまりにも高額な景品が提供されたり、不当な広告表示があった場合、それにつられて購入した消費者が不利益を被るかもしれません。そのような不当景品、不当表示から消費者を守るための法律が景品表示法です。

「表示」にはパンフレット、CM、DM、ディスプレイ、看板などさまざまなものがあります。

① 不動産業における景品類の提供の制限に関する公正競争規約

事業者（不動産業者）は、一般消費者に対して、次の額を超える景品類の提供をすることはできません。

景品類の提供の制限

懸賞により提供する景品類 抽選で！	取引価額の20倍または10万円のいずれか低い額（ただし、提供できる景品類の総額は、懸賞に係る取引予定総額の100分の2以内とする）
懸賞によらないで提供する景品類 もれなくプレゼント！	取引価額の10分の1または100万円のいずれか低い額

② 不動産の表示に関する公正競争規約

不動産の表示（広告）に関する規制には、以下のものがあります。

Ⅰ 広告の開始時期の制限

宅地の造成または建物の建築に関する工事の完了前においては、宅建業法第33条（広告の開始時期の制限）に規定する許可等があったあとでなければ、宅地や建物の内容や取引に関する広告をすることができません。

Ⅱ 特定事項の明示義務

一般消費者が通常予期することができない物件の形質や立地等については、明瞭に表示しなければなりません。例えば、次のようなものです。

チェック

特定事項の明示義務

	事項	明示内容
1	市街化調整区域に所在する土地については	「市街化調整区域。宅地の造成および建物の建築はできません。」と原則、明示すること（新聞折込チラシ等およびパンフレット等の場合には16ポイント以上の大きさの文字を用いること）
2	建築基準法第42条に規定する道路に２m以上接していない土地については	「再建築不可」または「建築不可」と原則、明示すること
3	土地取引において、土地上に古家、廃屋等が存在するときは	その旨を明示すること
4	建築工事に着手したあとに、工事を相当の期間にわたり中断していた新築住宅・新築分譲マンションについては	建築工事に着手した時期、中断していた期間を明示すること

Ⅲ 特定用語の使用基準

事業者（不動産業者）が物件の広告等を行うときに、次の用語を使用する場合は、それぞれ次の定義に即して使用しなければなりません。

特定用語の使用基準

用　語	定　　義
新　　築	建築工事完了後１年未満であって、居住の用に供されたことがないもの
新　発　売	新たに造成された宅地、新築の住宅または一棟リノベーションマンションについて、一般消費者に対し、初めて購入の申込みの勧誘を行うこと ☆　購入の申込みを受けるにさいして一定の期間を設ける場合においては、その期間内における勧誘をいう

Q H25－問47④

完成後8か月しか経過していない分譲住宅については、入居の有無にかかわらず新築分譲住宅と表示してもよい。

A 新築後1年未満であっても居住の用に供された建物は「新築」と表示することはできない。 ×

Ⅳ 不当な二重価格表示の禁止

物件の価格、賃料等について二重価格表示をする場合、事実に相違する広告表示または実際のものや他社のものよりも有利であると誤認されるおそれのある広告表示をしてはいけません。

二重価格表示とは、実際に販売する価格（実売価格）に、これよりも高い価格（比較対照価格）を併記するなどして、実売価格に比較対照価格を付すことをいいます。

土地・建物

登録講習修了者は免除項目

★SECTION06はこんな話★

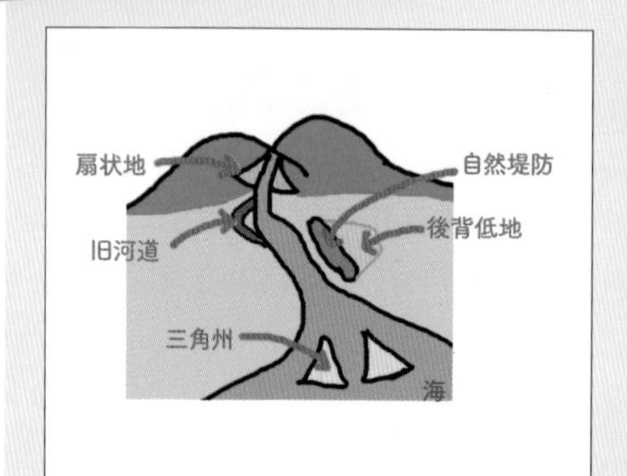

土地と建物は毎年1問ずつ出題され、主な内容は、日本の土地に関する知識や土地の特性についての問題、建物の構造や建材の特徴について問われています。土地や建物への興味関心が問われると思っておきましょう。

宅建士試験における一般知識問題です。
難しい問題の年もあるので割り切っていきましょう。

1 土　地

山麓部、丘陵地、台地、段丘、低地部、干拓地、埋立地について、これらの土地が宅地として適しているかどうかという点に注目して、特徴をみてみましょう。

チェック

土地の特性

山　麓　部　山麓…山のふもと

☆ 地すべりや崩壊等が起こりやすいので、一般的には宅地として適さない

☆ 土石流の堆積、地すべりでできた地形、谷の出口にあたるところは特に注意が必要

☆ 山麓部の利用にあたっては、背後の地形、地質、地盤について吟味が必要

丘陵地、台地、段丘
丘陵地…なだらかな起伏や小山が続く地形
台地…頂上が平らで、周囲より高くなっている地形
段丘… 河川・海・湖に沿って発達する階段状の地形

☆ 一般的に水はけがよく、地盤が安定しているため、宅地に適している

低　地　部

☆ 一般的に洪水や地震に弱いため、宅地に適していない

☆ 低地でも扇状地、自然堤防などは比較的危険性が低い

→ ただし
谷出口に広がる扇状地は豪雨等によって発生した土石流災害の危険性がある

☆ 低地でも旧河道、自然堤防に囲まれた後背低地、三角州、谷底平野は特に危険性が高い

扇 状 地…河川によって、山地から運ばれた砂礫(されき)が堆積した扇形の地形
自然堤防…河川の氾濫によって、砂礫が河岸に堆積してできた堤防状の微高地
旧 河 道…昔は河だった土地
後背低地…自然堤防等の背後にできた低湿な地形
(後背湿地)
三 角 州…河川が押し流した土砂が河口付近に堆積してできた三角形の地形
(デルタ地帯)

干拓地、埋立地

☆ **一般的に宅地に適していない**

干拓地…海や湖を堤防で区切って、水を排出してつくった土地
埋立地…海や湖の一部を土砂や廃棄物等を積み上げてつくった土地

2 建　物

I 建築物の構造①

建築物の構造のうち、ラーメン構造、トラス式構造、アーチ式構造についてみておきましょう。

建築物の構造①

ラーメン構造	柱とはりを組み合わせた直方体で構成する骨組み
トラス式構造	細長い部材を三角形に組み合わせた構成の構造
アーチ式構造	アーチ型の骨組みで、スポーツ施設のような大空間を構成するのに適した構造

Ⅱ 建築物の構造②

地震と建築物の構造という観点から、耐震構造、免震構造、制震構造についてみておきましょう。

建築物の構造②

耐震構造	建物の柱、はり、耐震壁などで剛性を高め、地震に対して十分耐えられるようにした構造 →建物自体を強くして、地震の揺れに耐える！
免震構造	建物の下部構造と上部構造との間に積層ゴムなどを設置し、揺れを減らす構造 →ゴムがあるおかげで、あまり揺れない
制震構造	制震ダンパーなどを設置し、揺れを制御する構造 →揺れを小さくしたり、早く揺れがおさまるようにした構造

さくいん

た行

な行

は行

ま行

や行

ら行

【著　者】
滝澤ななみ（たきざわ・ななみ）
簿記、ＦＰなど多くの資格書を執筆している。本書の姉妹書『みんなが欲しかった！宅建士の教科書』および『論点別過去問題集』は、刊行以来10年連続売上№１[※1]を記録。その他の主な著作は『スッキリわかる日商簿記』１～３級（15年連続全国チェーン売上№１[※2]）、『みんなが欲しかった！ＦＰの教科書』２～３級（10年連続売上№１[※3]）など。
※１　紀伊國屋書店　2015年度版~2024年度版（毎年度10月～８月で集計）
※２　紀伊國屋書店／三省堂書店／丸善ジュンク堂書店
　　2009年１月～2023年12月（各社調べ、50音順）
※３　紀伊國屋書店　2014年１月～2023年12月で集計

〈ホームページ〉『滝澤ななみのすすめ！』
URL：https://takizawananami－susume.jp/

・装丁：Nakaguro Graph（黒瀬章夫）
・本文デザイン：株式会社 シンクロ
・装画：matsu（マツモト　ナオコ）

みんなが欲しかった！　宅建士シリーズ

2025年度版
みんなが欲しかった！　宅建士合格へのはじめの一歩

（2018年９月25日　初　版 第１刷発行）
2024年10月20日　初　版　第１刷発行

著　者　滝澤ななみ
発行者　多田敏男
発行所　TAC株式会社　出版事業部
（TAC出版）

〒101-8383
東京都千代田区神田三崎町3-2-18
電 話 03(5276)9492（営業）
FAX 03(5276)9674
https://shuppan.tac-school.co.jp/

組　版　株式会社　グラフト
印　刷　株式会社　光邦
製　本　東京美術紙工協業組合

ISBN 978-4-300-11433-9
N.D.C. 673

2025年度版 宅地建物取引士への道

宅地建物取引士証を手に入れるには、試験に合格し、宅地建物取引士登録を経て、宅地建物取引士証の交付申請という手続

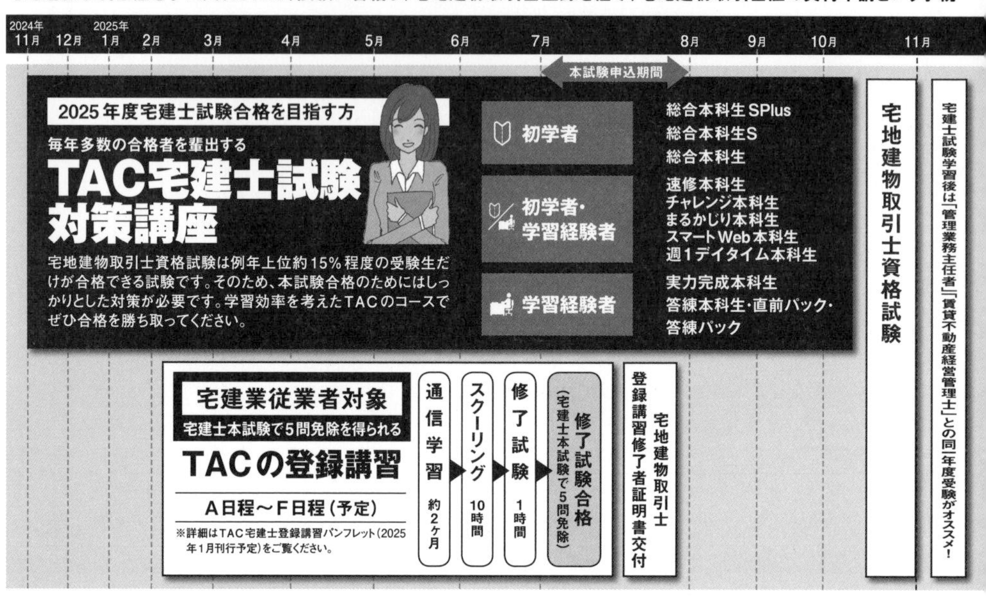

“実務の世界で活躍する皆さまを応援したい”そんな思いから、TACでは試験合格のみならず宅建業で活躍されている方、活躍したい方を「登録講習」「登録実務講習」実施機関として国土交通大臣の登録を受け、サポートしております。

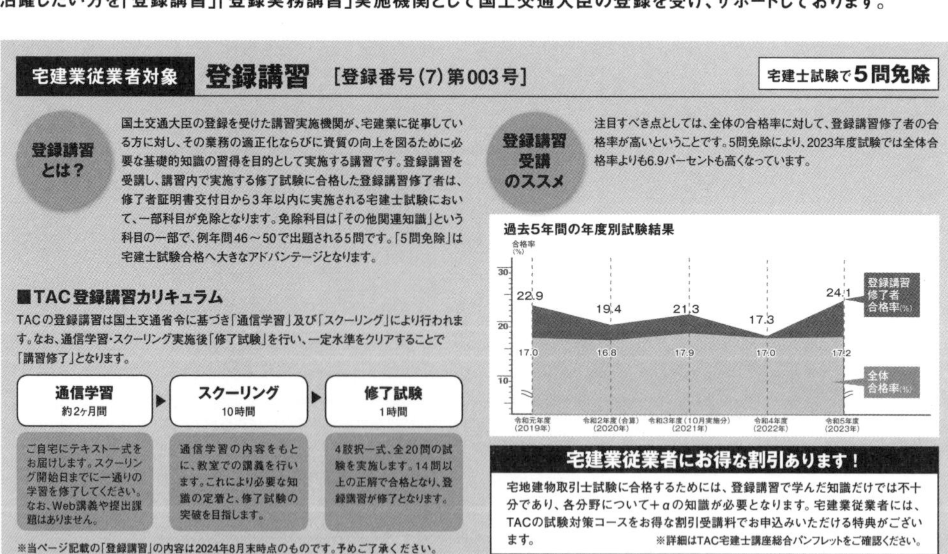

きが必要です。

2026年
12月 1月

30日～60日 15日～30日

賃貸不動産経営管理士試験(例年11月中旬実施/12月下旬合格発表)

宅地建物取引士資格試験　合格

管理業務主任者試験(例年12月初旬実施/翌年1月中旬合格発表)

宅建士試験合格者対象

実務経験2年未満の方が
資格登録をするために必要

TACの登録実務講習

第1日程～第9日程(予定)

※詳細はTAC宅建士登録実務講習パンフレット(2025年12月刊行予定)をご覧ください。

通信学習 約1ヶ月 ▶ スクーリング 12時間 ▶ 修了試験 1時間 ▶ 修了試験合格

宅地建物取引士　登録実務講習　修了証交付

宅地建物取引士　資格登録

宅建士試験合格後1年以内の方

宅地建物取引士試験合格後1年以内に宅地建物取引士証の交付申請をする場合は、「法定講習」の受講は不要です。

宅建士試験合格後1年超の方

「法定講習」受講

法定講習とは？
宅地建物取引士証の交付・更新を受けるにはあらかじめ各都道府県知事が指定する機関が実施する講習(おおむね6時間)を受講する必要があります。

1. 宅地建物取引士証の更新の方
2. 宅地建物取引士証の有効期限が切れた後、新たに宅地建物取引士証の発行を希望される方(なお、宅地建物取引士証の有効期限が切れた場合、宅地建物取引士としての仕事はできませんが、宅地建物取引士の登録自体が無効になることはありません)
3. 宅地建物取引士資格試験合格後、宅地建物取引士証の交付を受けずに1年が経過した方

法定講習を受講した場合は全科目終了後、当日に宅地建物取引士証が交付されます。

宅地建物取引士証交付申請

宅地建物取引士証交付

試験ガイド

>> 試験実施日程
(2024年度例)

試験案内配布	試験申込期間	試　験	合格発表
例年7月上旬より各都道府県の試験協力機関が指定する場所にて配布（各都道府県別）	■郵送（消印有効） 例年7月上旬～7月中旬 ■インターネット 例年7月上旬～7月下旬	毎年1回 原則として例年10月第3日曜日 時間帯／午後1時～3時(2時間) ※登録講習修了者 午後1時10分～3時(1時間50分)	原則として11月下旬 合格者受験番号の掲示および合格者には合格証書を送付
【2024年度】 7/1(月)～7/16(火)	【2024年度】 ■郵送 7/1(月)～7/16(火)消印有効 ■インターネット 7/1(月)9時30分～ 7/31(水)23時59分	【2024年度】 10/20(日)	【2024年度】 11/26(火)

>> 試験概要 (2024年度例)

受験資格	原則として誰でも受験できます。また、宅地建物取引業に従事している方で、国土交通大臣から登録を受けた機関が実施する講習を受け、修了した人に対して試験科目の一部（例年5問）を免除する「登録講習」制度があります。
受験地	試験は、各都道府県別で実施されるため、受験申込時に本人が住所を有する都道府県での受験が原則となります。
受験料	8,200円
試験方法・出題数	方法:4肢択一式の筆記試験（マークシート方式）　出題数:50問（登録講習修了者は45問）
試験内容	法令では、試験内容を7項目に分類していますが、TACでは法令をもとに下記の4科目に分類しています。

科　目	出題数
民法等	14問
宅建業法	20問
法令上の制限	8問
その他関連知識	8問

※登録講習修了者は例年問46～問50の5問が免除となっています。

試験実施機関

(一財)不動産適正取引推進機構
〒105-0001
東京都港区虎ノ門3-8-21　第33森ビル3階
03-3435-8111　http://www.retio.or.jp/

受験資格または願書の配布時期及び申込受付期間等については、必ず各自で事前にご確認ください。
願書の取り寄せ及び申込手続も必ず各自で忘れずに行ってください。

学習経験者対象

学習期間の目安 1〜2ヶ月

8・9月開講

答練パック

アウトプット重視

講義ペース 週1〜2回
時期により回数が前後する場合がございます

途中入学OK!

実戦感覚を磨き、出題予想論点を押さえる！学習経験者を対象とした問題演習講座

学習経験者を対象とした問題演習講座です。
試験会場の雰囲気にのまれず、時間配分に十分気を配る予行練習と、TAC講師陣の総力を結集した良問揃いの答練で今年の出題予想論点をおさえ、合格を勝ち取ってください。

カリキュラム〈全8回〉

8・9月〜

直前ハーフ答練（3回）
答練＋解説講義
「本試験（50問・2時間）」への橋渡しとなる「25問・1時間」の答練です。「全科目・範囲指定なし」の答練で、本試験の緊張感を体感します。

直前答練（4回）
答練＋解説講義
出題が予想されるところを重点的にピックアップし、1回50問を2時間で解く本試験と同一形式の答練です。時間配分や緊張感をこの場でつかみ、出題予想論点をも押さえます。

10月上旬

全国公開模試（1回）
本試験約2週間前に、本試験と同一形式で行われる全国公開模試です。本試験の擬似体験として、また客観的な判断材料としてラストスパートの戦略にお役立てください。

本試験形式

10月中旬 宅建士本試験

11月下旬 合格！

開講一覧

教室講座
8・9月開講予定
札幌校・仙台校・水道橋校・新宿校・池袋校・渋谷校・八重洲校・立川校・町田校・横浜校・大宮校・津田沼校・名古屋校・京都校・梅田校・なんば校・神戸校・広島校・福岡校

ビデオブース講座
札幌校・仙台校・水道橋校・新宿校・池袋校・渋谷校・八重洲校・立川校・町田校・横浜校・大宮校・津田沼校・名古屋校・京都校・梅田校・なんば校・神戸校・広島校・福岡校
8月中旬より順次講義視聴開始予定

Web通信講座
8月上旬より順次教材発送開始予定
8月中旬より順次講義配信開始予定

通常受講料 教材費・消費税10%込

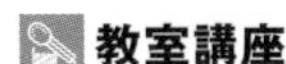

講座	受講料
教室講座	¥33,000
ビデオブース講座	
Web通信講座	

答練パックのみお申込みの場合は、TAC入会金（¥10,000・10%税込）は不要です。なお、当コースのお申込みと同時もしくはお申込み後、さらに別コースをお申込みの際にTAC入会金が必要となる場合があります。予めご了承ください。
※なお、上記内容はすべて2024年8月時点での予定です。詳細につきましては2025年合格目標のTAC宅建士講座パンフレットをご参照ください。

的中

的中

的中

的中

詳しい資料のご請求・お問い合わせは
通話無料 0120-509-117（ゴウカク イイナ）
TAC 検索
受付時間 月～金 10:00～17:00 土日祝 10:00～17:00

資格の学校 TAC

直前対策シリーズ

※直前対策シリーズの受講料等詳細につきましては、2025年7月中旬刊行予定のご案内をご確認ください。

ポイント整理、最後の追い込みに大好評!

TACでは、本試験直前期に、多彩な試験対策講座を開講しています。
ポイント整理のために、最後の追い込みのために、毎年多くの受験生から好評をいただいております。
周りの受験生に差をつけて合格をつかみ取るための最後の切り札として、ご自身のご都合に合わせてご活用ください。

8月開講 直前対策講義

〈全7回／合計17.5時間〉

講義形式

ビデオブース講座　Web通信講座

直前の総仕上げとして重要論点を一気に整理!
直前対策講義のテキスト（非売品）は本試験当日の最終チェックに最適です!

対象者
- よく似たまぎらわしい内容や表現が「正確な知識」として整理できていない方
- 重要論点ごとの総復習や内容の整理を効率よくしたい方
- 問題を解いてもなかなか得点に結びつかない方

特　色
- 直前期にふさわしく「短時間（合計17.5時間）で重要論点の総復習」ができる
- 重要論点ごとに効率良くまとめられた教材で、本試験当日の最終チェックに最適
- 多くの受験生がひっかかってしまうまぎらわしい出題ポイントをズバリ指摘

カリキュラム（全７回）
使用テキスト
- 直前対策講義レジュメ（全1冊）

通常受講料（教材費・消費税10%込）	講座	受講料
	ビデオブース講座	¥33,000
	Web通信講座	

※2025年合格目標宅建士講座「総合本科生SPlus」「総合本科生S」「総合本科生」をお申込みの方は、カリキュラムの中に「直前対策講義」が含まれておりますので、別途「直前対策講義」のお申込みの必要はありません。

10月開講 やまかけ3日漬講座

〈全3回／合計7時間30分〉

問題演習＋解説講義

教室講座　Web通信講座

DVD通信講座

TAC宅建士講座の精鋭講師陣が2025年の宅建士本試験を
完全予想する最終直前講座!

対象者
- 本試験直前に出題予想を押さえておきたい方

特　色
- 毎年多数の受験生が受講する大人気講座
- TAC厳選の問題からさらに選りすぐった「予想選択肢」を一挙公開
- リーズナブルな受講料
- 一問一答形式なので自分の知識定着度合いが把握しやすい

申込者限定配付
使用テキスト
- やまかけ3日漬講座レジュメ（問題・解答 各1冊）

通常受講料（教材費・消費税10%込）	講座	受講料
	教室講座	¥9,900
	Web通信講座	

※2025年合格目標TAC宅建士講座各本科生・パック生の方も別途お申込みが必要です。
※振替・重複出席等のフォロー制度はございません。予めご了承ください。

宅地建物取引士試験と管理業務主任者試験の

同一年度W受験をオススメします!

宅建士で学習した知識を活かすには同一年度受験!!

宅建士と同様、不動産関連の国家資格「管理業務主任者」は、マンション管理のエキスパートです。管理業務主任者はマンション管理業者に必須の資格で独占業務を有しています。**現在、そして将来に向けてマンション居住者の高齢化とマンションの高経年化は日本全体の大きな課題となっており、今後「管理業務主任者」はより一層社会から求められる人材として期待が高まることが想定されます。**マンションディベロッパーをはじめ、宅建業者の中にはマンション管理業を兼務したりマンション管理の関連会社を設けているケースが多く見受けられ、宅建士とのダブルライセンス取得者の需要も年々高まっています。

また、**試験科目が宅建士と多くの部分で重なっており、**宅建士受験者にとっては資格取得に向けての大きなアドバンテージになります。したがって、宅建士受験生の皆さまには、**同一年度に管理業務主任者試験とのW合格のチャレンジをオススメします!**

◆各資格試験の比較 ※受験申込受付期間にご注意ください。

	宅建士	共通点	管理業務主任者
受験申込受付期間	例年 7月初旬～7月末		例年 8月初旬～9月末
試験形式	四肢択一・50問	↔	四肢択一・50問
試験日時	毎年1回、10月の第3日曜日		毎年1回、12月の第1日曜日
	午後1時～午後3時(2時間)	↔	午後1時～午後3時(2時間)
試験科目(主なもの)	◆民法 ◆借地借家法 ◆区分所有法 ◆不動産登記法 ◆宅建業法 ◆建築基準法 ◆税金	↔	◆民法 ◆借地借家法 ◆区分所有法 ◆不動産登記法 ◆宅建業法 ◆建築基準法 ◆税金
	◆都市計画法 ◆国土利用計画法 ◆農地法 ◆土地区画整理法 ◆鑑定評価 ◆宅地造成等規制法 ◆統計		◆標準管理規約 ◆マンション管理適正化法 ◆マンションの維持保全(消防法・水道法等) ◆管理組合の会計知識 ◆標準管理委託契約書 ◆建替え円滑化法
合格基準点	36点/50点(令和5年度)		35点/50点(令和5年度)
合格率	17.2%(令和5年度)		21.9%(令和5年度)

※管理業務主任者試験を目指すコースの詳細は、2025年合格目標 管理業務主任者講座パンフレット(2024年12月刊行予定)をご覧ください。

宅建士からのステップアップに最適！

ステップアップ・ダブルライセンスを狙うなら…

宅地建物取引士の本試験終了後に、不動産鑑定士試験へチャレンジする方が増えています。なぜなら、これら不動産関連資格の学習が、不動産鑑定士へのステップアップの際に大きなアドバンテージとなるからです。宅建の学習で学んだ知識を活かして、ダブルライセンスの取得を目指してみませんか？

不動産鑑定士

宅建を学習された方にとっては
見慣れた法令が
点在しているはずです。

2024年度不動産鑑定士短答式試験
行政法規　出題法令・項目

難易度の差や多少の範囲の相違はありますが、一度学習した法令ですから、初学者に比べてよりスピーディーに合格レベルへと到達でき、非常に有利といえます。
なお、論文式試験に出題される「民法」は先述の宅建士受験者にとっては馴染みがあることでしょう。したがって不動産鑑定士試験全体を通じてアドバンテージを得ることができます。

問題	法　律	問題	法　律
1	土地基本法	21	マンションの建替え等の円滑化に関する法律
2	不動産の鑑定評価に関する法律	22	不動産登記法
3	不動産の鑑定評価に関する法律	23	住宅の品質確保の促進等に関する法律
4	地価公示法	24	宅地造成及び特定盛土等規制法
5	国土利用計画法	25	宅地建物取引業法
6	都市計画法	26	不動産特定共同事業法
7	都市計画法	27	高齢者、障害者等の移動等の円滑化の促進に関する法律
8	都市計画法	28	土地収用法
9	都市計画法	29	土壌汚染対策法
10	都市計画法	30	文化財保護法
11	土地区画整理法	31	自然環境保全法
12	土地区画整理法	32	農地法
13	都市再開発法	33	河川法、海岸法、公有水面埋立法
14	都市再開発法	34	国有財産法
15	景観法	35	所得税法
16	建築基準法	36	法人税法
17	建築基準法	37	租税特別措置法
18	建築基準法	38	地方税法
19	建築基準法	39	相続税法
20	建築基準法	40	資産の流動化に関する法律、投資信託及び投資法人に関する法律

さらに

宅地建物取引士試験を受験した経験のある方は
割引受講料にてお申込みいただけます！

詳細はTACホームページ、不動産鑑定士講座パンフレットをご覧ください。

(2024年2月現在)

書籍のご購入は

1 全国の書店、大学生協、ネット書店で

2 TAC各校の書籍コーナーで

資格の学校TACの校舎は全国に展開!
校舎のご確認はホームページにて

資格の学校TAC ホームページ
https://www.tac-school.co.jp

3 TAC出版書籍販売サイトで

TAC 出版 で 検索

24時間
ご注文
受付中

https://bookstore.tac-school.co.jp/

新刊情報を
いち早くチェック!

たっぷり読める
立ち読み機能

学習お役立ちの
特設ページも充実!

TAC出版書籍販売サイト「サイバーブックストア」では、TAC出版および早稲田経営出版から刊行されている、すべての最新書籍をお取り扱いしています。
また、会員登録(無料)をしていただくことで、会員様限定キャンペーンのほか、送料無料サービス、メールマガジン配信サービス、マイページのご利用など、うれしい特典がたくさん受けられます。

サイバーブックストア会員は、特典がいっぱい!(一部抜粋)

通常、1万円(税込)未満のご注文につきましては、送料・手数料として500円(全国一律・税込)頂戴しておりますが、1冊から無料となります。

専用の「マイページ」は、「購入履歴・配送状況の確認」のほか、「ほしいものリスト」や「マイフォルダ」など、便利な機能が満載です。

メールマガジンでは、キャンペーンやおすすめ書籍、新刊情報のほか、「電子ブック版TACNEWS(ダイジェスト版)」をお届けします。

書籍の発売を、販売開始当日にメールにてお知らせします。これなら買い忘れの心配もありません。

1 「宅建士の教科書」を読み、「宅建士の論点別過去問題集」を解き、知識を定着させる

試験に必要な知識を身につける

つぎに！

2 「ズバッとポイントWeb講義」を視聴する

合格に欠かせないポイントをズバッと解説

さらに！

4

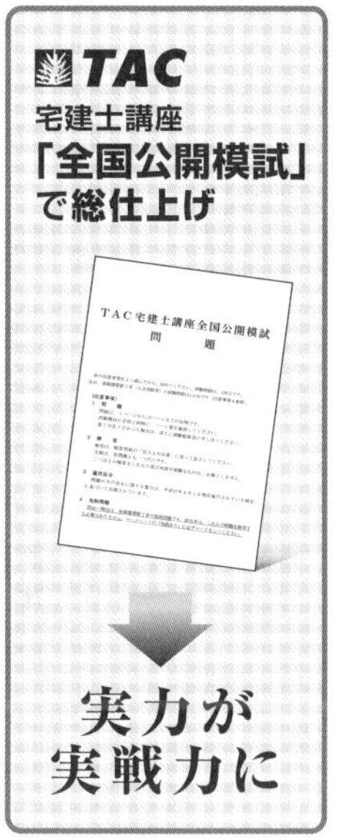

実力が実戦力に

学習効果をさらに引き上げる！

3 「宅建士の直前予想模試」「法律改正点レジュメ」で直前対策！

独学では不足しがちな法律改正情報や最新試験対策もフォロー！

「独学で合格」のポイント
利用中のサポート

学習中の疑問を解決！ 質問カード

「教科書」を読んだだけでは、理解しにくい箇所や重要ポイントは、Web講義で解説していますが、それでも不安なところがある場合には「質問カード」を使って解決することができます。
専門スタッフが質問・疑問に回答いたしますので、「理解があっているだろうか？」など、独学の不安から解放されて、安心して学習を進めていただくことができます。

コンテンツPickup!

「ズバッとポイントWeb講義」

Web講義のポイント

- 1回が短い（約15分～30分）ので、スキマ時間に見られる！
- 合格にとって最も重要なポイントを押さえられる！
- Webで配信だからいつでもどこでも講義が聴ける！

パソコンのほか、スマートフォンやタブレットから、利用期間内なら繰り返し視聴可能！
専用のアプリで動画のダウンロードが可能です！

※電波のない環境でも、速度制限を気にすることなく再生できます。ダウンロードした動画は2週間視聴可能です。

お申込み・最新内容の確認

インターネットで

TAC出版書籍販売サイト「サイバーブックストア」にて

TAC 出版 検索

https://bookstore.tac-school.co.jp/

詳細は必ず、TAC出版書籍販売サイト「サイバーブックストア」でご確認ください。

※本広告の記載内容は、2024年9月現在のものです。
やむを得ず変更する場合もありますので、詳細は必ず、TAC出版書籍販売サイト「サイバーブックストア」の「宅建士独学道場」ページにてご確認ください。

書籍の正誤に関するご確認とお問合せについて

書籍の記載内容に誤りではないかと思われる箇所がございましたら、以下の手順にてご確認とお問合せをしてくださいますよう、お願い申し上げます。

なお、正誤のお問合せ以外の**書籍内容に関する解説および受験指導などは、一切行っておりません。**
そのようなお問合せにつきましては、お答えいたしかねますので、あらかじめご了承ください。

TAC出版書籍販売サイト「Cyber Book Store」の
トップページ内「正誤表」コーナーにて、正誤表をご確認ください。

CYBER BOOK STORE TAC出版書籍販売サイト

URL:https://bookstore.tac-school.co.jp/

2 1の正誤表がない、あるいは正誤表に該当箇所の記載がない ⇒ 下記①、②のどちらかの方法で文書にて問合せをする

★ご注意ください★

お電話でのお問合せは、お受けいたしません。
①、②のどちらの方法でも、お問合せの際には、「お名前」とともに、
「対象の書籍名(○級・第○回対策も含む)およびその版数(第○版・○○年度版など)」
「お問合せ該当箇所の頁数と行数」
「誤りと思われる記載」
「正しいとお考えになる記載とその根拠」
を明記してください。
なお、回答までに1週間前後を要する場合もございます。あらかじめご了承ください。

① ウェブページ「Cyber Book Store」内の「お問合せフォーム」より問合せをする

【お問合せフォームアドレス】

https://bookstore.tac-school.co.jp/inquiry/

② メールにより問合せをする

【メール宛先　TAC出版】

syuppan-h@tac-school.co.jp

※土日祝日はお問合せ対応をおこなっておりません。
※正誤のお問合せ対応は、該当書籍の改訂版刊行月末日までといたします。

乱丁・落丁による交換は、該当書籍の改訂版刊行月末日までといたします。なお、書籍の在庫状況等により、お受けできない場合もございます。
また、各種本試験の実施の延期、中止を理由とした本書の返品はお受けいたしません。返金もいたしかねますので、あらかじめご了承くださいますようお願い申し上げます。

(2022年7月現在)